MUITO ALÉM DA
LOUCURA

MARCELO SIMÕES

MUITO ALÉM DA
LOUCURA

Ele era jovem e rico,
mas a ambição o levou ao extremo
de eliminar quase toda a sua família

Baseado em fatos reais

GERAÇÃO

1ª edição – Fevereiro de 2013

Grafia atualizada segundo o Acordo Ortográfico da Língua Portuguesa
de 1990, que entrou em vigor no Brasil em 2009

Editor e Publisher
Luiz Fernando Emediato (licenciado)

Diretora Editorial
Fernanda Emediato

Editor
Paulo Schmidt

Produtora Editorial e Gráfica
Erika Neves

Capa
Alan Maia

Projeto grafico e diagramação
Manuel Rebelato Miramontes
Wilson Teodoro Garcia

Preparação
Hugo Almeida

Revisão
Josias Andrade
Marcia Benjamim
Shirley Higaki

Dados Internacionais de Catalogação na Publicação (CIP)

(Câmara Brasileira do Livro, SP, Brasil)

Simões, Marcelo
    Muito além da loucura / Marcelo Simões. – 1. ed. – São Paulo :
Geração Editorial, 2013.

    ISBN 978-85-8130-106-8

    1. Assassinatos   2. Assassinos - Biografia   3. Crimes - História
4. Criminosos - História   5. Romance biográfico brasileiro   I. Título.

12-09749   CDD-869.93

Índice para catálogo sistemático:

1. Assassinos : Biografia romanceada :
Literatura brasileira   869.93

GERAÇÃO EDITORIAL

Rua Gomes Freire, 225 – Lapa
CEP: 05075-010 – São Paulo – SP
Telefax : (+55 11) 3256-4444
E-mail: geracaoeditorial@geracaoeditorial.com.br
www.geracaoeditorial.com.br
twitter: @geracaobooks
Impresso no Brasil
Printed in Brazil

A alma é a prisão do corpo.
Michel Foucault

Para Thereza, minha mãe, Lívia, Patrícia,
Luciana, Juliana, Maria Sofia e Cris,
as donas de metade do meu coração.

Para Marcelinho e Gabriel,
os donos da outra metade.

Agradecimentos

Minha sincera gratidão a Cristina Botter, companheira
desde a primeira página; aos amigos Fernando Vita, pela
orelha generosa; João de Melo Cruz, Renato Simões, João
Telles e Jackson Azevedo
pela consultoria jurídica; e Moacir Guimarães,
pelas informações médicas.

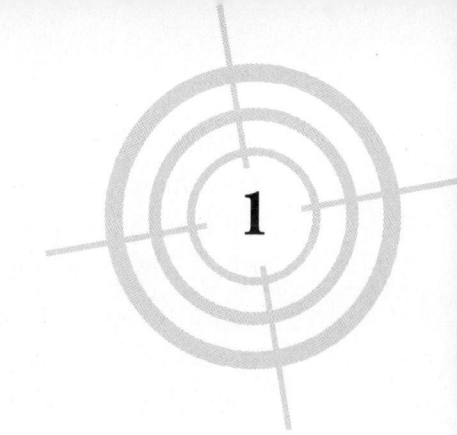

Marcílio chegou em casa por volta das duas horas da madrugada. Contornou a lateral do sobrado de dois andares e entrou pela porta dos fundos, na ponta dos pés. A cocaína que cheirou desde o início da noite travava seus dentes e retorcia o lábio superior. Subiu as escadas com os sapatos na mão. Entrou no quarto que dividia com o irmão João e sentou-se ao seu lado na cama. Afagou-lhe os cabelos com a garantia de que os remédios tarja preta que ingeria todas as noites para domar a esquizofrenia não o deixariam despertar. Foi ao banheiro, deixou os sapatos e tirou toda a roupa. Nu, seguiu pelo corredor da casa. Abriu suavemente e deixou entreabertas as portas do seu quarto e da suíte dos pais, que ficava no final do corredor. Manteve fechados o quarto do irmão Nei e o quarto da avó, onde também dormiam a irmã caçula e a babá. Observou por alguns segundos o casal em sono profundo. O pai recolhia-se pontualmente às nove da noite, porque às cinco da manhã, sempre às cinco da manhã, estaria de pé, fazendo o próprio café e ouvindo as primeiras notícias policiais no rádio. A mãe também dormia cedo, logo após rezar o terço e ler alguns trechos da Bíblia. O barulho de um carro parando em frente à casa o assustou. Marcílio suava muito. Deu um tempo em seu quarto por alguns minutos imaginando que Nei, o irmão dois anos mais velho, havia chegado. Não era ele. Foi novamente ao banheiro, molhou o rosto e encarou-se no espelho, como se buscasse a coragem momentaneamente perdida. Desceu ao porão, cheirou mais algumas fileiras de cocaína e armou-se com o rifle Winchester .44 e o revólver calibre 38 comprado havia um mês, armas mantidas escondidas sob as tábuas do piso do porão. Municiou as armas e subiu novamente as escadas. Retornou ao seu quarto e repousou o revólver sobre seu travesseiro. De rifle em punho, seguiu até o final do corredor. Empurrou a porta do quarto do casal, aproximou-se alguns passos, mirou no peito do pai e apertou o gatilho. O português Fernando Moura Maia morreu com um tiro no coração. O estampido seco ecoou forte despertando dona Anita, que ergueu o tórax abruptamente e, com pavor nos olhos, apenas balbuciou duas palavras — "meu filho" — antes de receber o tiro fatal que lhe deformou o rosto. Dona Laura, a avó materna, conseguiu erguer o peso dos seus oitenta e dois anos ao ouvir o primeiro estampido, abriu a porta do seu quarto e foi alvejada no corredor. Caiu de lado, com uma mancha de sangue jorrando do peito e se espalhando pela parede e pelo mármore branco do piso. Marcílio seguiu em busca da sua última vítima, João. Limpou suas digitais no rifle e o impregnou com as impressões do irmão. Voltou ao corredor e colocou a arma encostada na parede.

João dormia de lado, com as pernas encolhidas, em posição fetal. Sereno e em paz, sem demônios a atormentá-lo. Marcílio fez mais um afago nos cabelos longos do irmão caídos sobre a testa. Por alguns instantes ficou ali a admirá-lo. Beijou-o. Queria entender o porquê da sua loucura, que o fazia ouvir vozes continuamente e o levava a ficar o tempo todo falando sozinho e girando o dedo indicador apontado para baixo como se discasse um telefone imaginário. João, aos vinte e quatro anos, era um louco passivo, que vivia zanzando pela casa sob a indiferença de todos. Bebia muito café e fumava compulsivamente. Tinha sempre em mãos um caderno de espiral e uma caneta. Era o seu diário, onde registrava o que aquele turbilhão de conflitos e vozes fervilhava em sua mente desde os dezessete anos, quando a esquizofrenia começou a se manifestar. Escreveu centenas de páginas relatando a convivência com aqueles personagens que sua imaginação produzia e o perseguiam sem trégua, cujos volumes guardava no fundo da gaveta de um armário no porão. Lourenço, o dono da voz mais autoritária e frequente em sua cabeça, seria um sargento reformado do exército que insistia em ameaçá-lo com choques elétricos caso ele não obedecesse e continuasse dando atenção a Suely, voz suave e doce de uma ex-freira, que falava da existência de um paraíso que conhecia, habitado por anjos protetores. Ela rezava a ave-maria pontualmente às seis da tarde e cantava canções para ele dormir após tomar os remédios. Lourenço dizia que Suely era má e que já havia matado muitos como ele, porque queria vingar-se dos homens, estuprada que foi e, por isso, expulsa do convento e obrigada a abandonar o hábito. A freira contestava, acusando Lourenço de torturador, que vivia nas profundezas do inferno e só saía de lá para atormentar pessoas medrosas e que realmente o temiam. Portanto, o segredo era não temê-lo — recomendava.

No auge das crises, a voz de Lourenço humilhava-o, xingava-o e ordenava que ele cometesse atos que reprovava, agravando ainda mais os seus conflitos. Era sistematicamente ameaçado e recolhia-se atemorizado na escuridão do seu quarto, quando outras vozes conversavam nervosamente entre si falando mal dele. Cobria os ouvidos com as mãos na tentativa vã de não escutá-las. A voz do seu maior algoz não lhe dava descanso, mesmo com a presença das palavras doces de Suely, que prometia protegê-lo. Quando estava agitado, falava descontroladamente, como se estivesse no trânsito discutindo com outro motorista e gritava a ponto de explodir os pulmões. O pai trancava-o no quarto, onde permanecia preso por dias sem a luz do sol, isolado ainda mais da vida e do mundo. Não comia, não tomava banho, não trocava de roupa. Muitas vezes chegou a ficar quatro dias seguidos sem dormir, andando de um lado para outro, o olhar fixo, as mãos trêmulas, o dedo indicador direito girando no espaço vazio e a cabeça balançando para frente e para trás em ritmo contínuo. O suplício só diminuía quando era submetido a doses cavalares de Haldol combinadas com Fernegan que controlavam as crises parcialmente. Ao ser medicado com Rohypnol, um sedativo fortíssimo, só conseguia dormir por quatro ou cinco horas seguidas. João nunca foi agressivo. Pelo contrário. Era ele o agredido no seu silêncio. Pelas vozes incontroláveis ecoando em sua mente e pelo preconceito que experimentava dentro de casa, por sua própria família. As crises o impediam de recorrer ao refúgio do seu diário e ele ficava dias sem escrever.

A família sempre foi indiferente e nunca se interessou em conhecer o conteúdo dos escritos de João, à exceção de Marcílio, que lia os cadernos em suas idas ao subsolo da casa para cheirar cocaína escondido. Conhecia todos os anjos e demônios que atormentavam o irmão. Assassiná-lo era parte decisiva no plano de morte contra o pai, porque a ele caberia a culpa naturalmente, por ser doente mental e, dessa forma, um suspeito incontestável. Assassinar João seria, também, uma forma de libertá-lo definitivamente do mal incurável que lhe subtraía a razão e o isolava do mundo. Morto, descansaria do pesadelo eterno que vivia quando acordado. Morto, estaria dormindo para sempre como se estivesse sob efeito da medicação pesada que ingeria e livre para sempre dos tormentos e vozes que o perseguiam — justificava-se Marcílio.

14

Ele limpou o revólver com um lenço e o colocou na mão direita de João, pressionando seus dedos para imprimir as digitais na arma. Matou-o à queima-roupa com um tiro na cabeça explodindo aquele mundo de personagens que apenas a João pertencia, os quais conhecia como se também fossem seus. O sangue espirrou no seu rosto e misturou-se à lágrima que escorria pelo canto do olho.

Marcílio amava João de verdade.

Ele forjou um bilhete imitando grosseiramente a letra do irmão, que conhecia dos cadernos do diário, e colocou no bolso do pijama, atribuindo a Lourenço a ordem para cometer o crime. Acreditou que estava plantando a prova-chave que não deixaria dúvidas sobre o autor dos assassinatos. Dizia:

> *Meu pai e minha mãe são culpados inconscientes da minha derrota. Por isso vamos partir juntos e Deus vai decidir quem vai para o céu e quem vai para inferno. Estou fazendo isso para nunca mais ser humilhado nem maltratado por ninguém. Nei não sabe nada a esse respeito e há muito tempo eu tinha esse revólver guardado. Não estou louco, nunca estive tão consciente na minha vida. João.*

Marcílio seguiu para o banheiro tomando cuidado para não pisar na poça de sangue escurecido que se formou no corredor em frente ao quarto da avó. Ligou o chuveiro e deixou escorrer pelo ralo o sangue do irmão e o ódio que nutria pelo pai ao longo de toda a vida. Chorou debaixo d'água pela mãe que acreditava também ser vítima do pai, pela avó à qual era indiferente, e pelo irmão que acabara de libertar da loucura e, em contrapartida, o libertava do jugo e do desprezo paterno. Vestiu a mesma roupa, cheirou mais um pouco de cocaína e saiu de casa pela porta dos fundos, tomando precaução para não deixar marcas. Caminhou abaixado pela lateral do muro para não ser visto e observou o momento exato em que o guarda noturno dobrou a curva da rua Dallas para seguir em direção contrária. Uma hora havia se passado. Retornou, andando, ao apartamento de Íris, sua namorada, a seis quadras da sua casa. Ela dormia profundamente, sob o efeito da mistura infalível de bebida, maconha e barbitúrico. Retirou a roupa e deitou-se ao lado dela, acariciando seu corpo nu. Masturbou-se. Não conseguiu dormir. Permaneceu recostado na cama rememorando cada passo, cada detalhe, buscando a certeza de que não cometera erros na execução do crime. Não sentia remorso pelo pai. Compaixão pela mãe, pela avó e pelo irmão, talvez. Levantou-se ao ouvir o interfone tocando insistentemente por volta das 8h30 da manhã. Ele já sabia quem era. Nei, desesperado, gritava e pedia para ele abrir a porta. Marcílio vestiu a calça rapidamente, desceu as escadas correndo e levou o irmão para o apartamento de Íris.

— Aconteceu uma chacina lá em casa. João matou todo mundo e se suicidou. A polícia está lá, tem imprensa e um bocado de gente na porta.

Marcílio simulou surpresa, fingiu-se atônito e ficou em silêncio por alguns instantes, como se estivesse absorvendo aquela notícia sem nexo.

— Você enlouqueceu, cara?... João é inofensivo, a gente sabe disso. Ele seria incapaz de matar uma mosca. Diga que tudo isso é brincadeira, uma sacanagem sua... Não pode, cara... Pare com isso, diga que não é verdade...

Marcílio fingiu embargo na voz e abraçou o irmão. Íris continuou dormindo.

2

Na noite anterior ao crime, uma sexta-feira de março, na
então pacata Salvador, Marcílio entrou no bar por volta das 7h30 e dirigiu-se para uma mesa ao fundo, mantendo
distância do burburinho e dos olhares enquanto aguardava
a chegada de Íris. Discreto no vestir e nos gestos, passava-se
despercebido, como sempre foi ao longo de todos os seus
vinte anos de timidez e silêncio. Observava com desprezo — ou inveja talvez — o movimento das pessoas, em sua
maioria jovens da sua idade que bebiam, se beijavam, riam
e conversavam alto. Sentou-se de frente para a entrada. A
todo instante olhava para o relógio, ansioso pela chegada
da namorada. Não percebeu a aproximação do garçom,
que lhe deu boa-noite e perguntou pelo seu pedido. Marcílio fitou-o por alguns segundos como se tivesse dúvida sobre
o que queria beber:

— Um Campari com gelo e limão.

Era, talvez, o único cliente solitário no bar. Como solitária sempre foi a sua existência sombria até conhecer Íris,
doze anos mais velha, mulher de peitos fartos, pernas roli-
ças e bunda empinada, recém-separada e mãe de dois filhos
que viviam com a família do ex-marido. O garçom trouxe a
bebida e pôs um cardápio na mesa, cumprindo ritual obri-
gatório. Marcílio ficou girando o gelo no copo com o dedo,
dissolvendo o vermelho encorpado da bebida. Parecia sangue. Sorveu o primeiro gole e reagiu com cara feia ao sabor
amargo. O dinheiro que levava no bolso havia roubado da

loja de tecidos do pai, onde trabalhava como vendedor, hábito que repetia com certa frequência todas as sextas-feiras, aproveitando-se do descuido do velho português Fernando Moura Maia. O furto não era apenas complemento ao salário mínimo que recebia, mas vingança à sovinice paterna. Pai e filho não se amavam e mal se falavam. Marcílio não estudou, como o irmão Nei. Apenas completou o ginásio a duras penas, após repetências seguidas. Havia dois anos fora obrigado pelo pai a trabalhar numa das lojas da rede Moura Maia, sob a ameaça de ser expulso de casa e não receber mais dinheiro algum se "continuasse com aquela vida de vagabundo". Trabalhava das oito da manhã às seis da tarde, inclusive aos sábados até o meio-dia, vendendo cortes de tecidos. Grande parte do tempo ficava em frente à loja aguardando os clientes e observando o vaivém das pessoas circulando pela rua Chile, a mais movimentada de Salvador naquele começo dos anos 70. Deixara o cabelo crescer sob protestos do pai, que não perdia a oportunidade de recriminá-lo afirmando que "cabelo grande era sinal de sujeira e espantava a freguesia". Trajava-se formalmente, sempre vestindo calça de tergal preta, camisa social branca e sapatos pretos, seu uniforme de vendedor. Não podia ousar como outros jovens da sua idade que circulavam pela calçada em frente à loja exibindo nos trajes a irreverência anárquica e colorida da nova moda *hippie* que se espalhava pelo mundo e chegara à provinciana cidade da Bahia pregando o amor livre, contestando valores familiares arcaicos e incomodando ditadores e regimes opressores que mapeavam o mundo naquela época. Marcílio não viu *Hair*, nunca ouviu o som louco de Jimi Hendrix, nem viajou na voz rouca de Janis Joplin. Não soube do existencialismo de Sartre, para o qual "o homem está condenado a ser livre e que, livre, é responsável por tudo que está à sua volta". Muito menos ouviu falar de Hebert Marcuse que preconizava um novo mundo, reconciliado e pacificado, no qual o mitológico

Prometeu, o dominador da natureza, cederia o seu lugar a Orfeu e a Narciso, estes sim os "heróis da não repressão". Marcílio, claro, vivia à margem da "Era da Permissividade" — do *liberou-geral* —, que se opunha às manipulações de estruturas repressivas e buscava uma civilização mais elevada. Diferentemente daqueles jovens, que em sua grande maioria também não tinham consciência das origens filosóficas de todas aquelas transformações comportamentais planetárias, ele não respirava a liberdade que sua juventude exigia. Salvo o cabelo grande e a maconha que fumava com regularidade, ele era um "careta" submisso ao dinheiro que queria ter, à autoridade paterna e à cocaína que o escravizava. Livrar-se do pai, quem sabe, poderia ser a porta de saída para experimentar, à sua maneira, o mundo além do umbral da Moura Maia Tecidos.

Mostrava-se impaciente com o atraso da namorada, que conhecera havia três meses, no final do expediente da loja, ao vender-lhe um corte de cetim vermelho. O colo exposto num acentuado decote excitou-o, obrigando-o a permanecer por trás do balcão para esconder o pau duro que ameaçava romper a braguilha da calça. Não foi difícil para ela perceber que ele era mais do que um simples vendedor da loja, era o filho do dono. As feições de pai e filho eram muito parecidas. Íris insinuou-se. Percebeu sua excitação. Pegou na mão em que segurava a tesoura de ofício e o convidou para um drinque dali a uma hora no bar Cacique. Marcílio concluiu a venda, observado de longe pelo pai e, talvez por isso, não entregou o tecido de graça para ela, como era do seu desejo. Começaram o romance naquela noite.

Pediu outra dose. O vermelho do Campari mexia com seus instintos. Vermelho era a sua cor preferida, apesar da submissão que o preto e branco lhe impunham no cotidiano. Bebeu rápido. Toda aquela gente feliz incomodava a sua infelicidade crônica. O atraso de Íris o incomodava ainda mais. Suas mãos estavam frias. Ele já havia ido ao banheiro duas vezes cheirar pó. Não conseguia mais controlar a inquietude. Cansou de esperar, pediu a conta, pagou e saiu. Caminhou pelas ruas do centro histórico de Salvador driblando as prostitutas que lhe ofereciam sexo rápido e barato. Marcílio estava completamente obcecado por Íris, não tinha mais nenhum interesse por putas de rua, por mulher alguma. Fazer amor com ela libertou-o da dependência de prazeres pagos e de rotineiras masturbações. Na cama, ela o levava a distâncias delirantes nunca antes alcançadas. Parou numa esquina, entrou numa pequena rua escura, acendeu a ponta de um baseado e deu três tragadas fortes. Seguiu por três quadras e entrou num bar onde sabia que encontraria Nei com a nova namorada. A "casualidade" fazia parte do plano diabólico. Ajudaria a reforçar o seu álibi, uma vez que Íris faltou ao encontro e ele precisava de testemunha para garantir onde esteve durante toda aquela noite.

— E aí, cara, tá perdido? Tudo bem com você? Deixe eu lhe apresentar: essa é Amélia, o amor da minha vida, a mulher de verdade.

Marcílio esboçou um sorriso forçado ante a piada batida e sentou-se à mesa do irmão afirmando que estava tudo bem, que ia dormir na casa da namorada e que parou apenas para tomar uma cerveja. Demorou pouco, apesar da insistência de Nei pedindo para ele ficar mais um tempo, querendo se fazer simpático diante de Amélia.

— Aí, legal que agora você tem uma gata — comentou Nei em tom de provocação. — Até que enfim, hem! Quem é ela, conta aí, vai? Vamos marcar pra sair juntos uma noite dessas.

Marcílio aproveitou o interesse do irmão e falou brevemente sobre Íris, sobretudo porque queria que ele soubesse onde ela morava.

— Ela é uma figura legal, você vai gostar. Já foi casada, mora sozinha perto lá de casa, no último prédio daquela rua que não tem saída, a Dom Bosco. Você sabe onde é, não sabe? É um apartamentinho legal, no segundo andar.

Amélia provocou:

— Você é mais bonito que o seu irmão, Marcílio.

— Pode ser. Mas Nei é mais inteligente — ele rebateu.

Bebeu dois copos de cerveja e levantou-se, dizendo que estava tarde. Nei desculpou-se por não dar-lhe uma carona porque iria "estender" a noite com Amélia e também dormiria fora de casa. Nei era, acintosamente, o preferido de Fernando Moura Maia. Havia ganhado, recentemente, um carro do pai como presente antecipado por sua formatura em Direito na Universidade Federal da Bahia e isso só fez aumentar a inveja que Marcílio sentia do irmão e o desprezo pelo pai. Saiu do bar e pegou o ônibus das 10h30 da noite, rumo ao bairro da Graça. Cerca de quinze minutos depois chegou ao apartamento de Íris, num prédio antigo e pequeno, de apenas três andares, sem porteiro. Apertou o número 201 do interfone e ela desceu para abrir a porta. Usava um shortinho preto e blusa de cetim, sem sutiã, que revelava o contorno dos seus peitos duros e fartos. Estava vendo televisão, bebendo conhaque e havia fumado um baseado. Ele quis saber por que ela não foi encontrá-lo no bar e ouviu uma resposta meio óbvia entre beijos e pegadas fortes no seu pau. Mentiu. Disse que precisou ir ver os filhos e não teve como avisá-lo. Marcílio esqueceu tudo e montou sobre ela, arrancando *short*, blusa e calcinha numa volúpia avassaladora.

— Calma, meu lindo! Não foi assim que eu lhe ensinei.

Íris tirou a calça de Marcílio, enquanto ele retirava a camisa. E começou a sugar o seu pau com o ímpeto de mulher madura que sabia o que fazer com um homem na cama. Aquele garoto, para ela, apenas se iniciava na arte do amor e do sexo e ainda tinha muito a aprender. Sentou-se de costas sobre ele e se encaixou de cócoras, dando sequência a movimentos lentos e ritmados. Marcílio nunca havia visto bunda tão linda, a não ser nas revistas masculinas que comprava para se masturbar quase diariamente. A cocaína consumida ao longo da noite dificultava o seu orgasmo, que ela não precisou administrar até alcançar o seu gozo. Ele aprendia mais uma posição, ela extraía prazer daquele corpo branco, alto e franzino e ambicionava extrair muito mais, além do que ele poderia oferecer na cama. Saciado, Marcílio acendeu o resto de baseado que Íris deixou no cinzeiro e, enquanto ela foi ao banheiro, colocou dois comprimidos previamente triturados de Rohypnol no copo de conhaque que ela estava bebendo. Precisava fazê-la dormir profundamente, sem o risco de acordar durante a noite. Não demorou muito para Íris, depois de sorver dois goles da bebida, apagar nua na cama. Estava exausta e dopada. O sono profundo veio rápido. Ele cobriu seu corpo, foi ao banheiro, desfez-se do papel de seda que continha o remédio, despejou na pia o resto de conhaque, lavou o copo para não deixar vestígios e saiu em direção ao sobrado da rua Dallas, 55.

3

Íris de Almeida Andrade era uma mulher de beleza morena comum, que chamava a atenção dos homens por suas curvas acentuadas e pelo jeito vulgar de vestir-se, com roupas sempre justas ao corpo: minissaias no meio das coxas ou calças de *lycra* que acentuavam o ventre e delineavam a bunda empinada e blusas cavadas que exibiam despudoramente o colo de seios duros. Usava sandálias de salto alto para disfarçar sua estatura de 1,58 metro. Tinha trinta e dois anos e exalava sexo. Ambiciosa, nunca teve uma profissão ou trabalho capaz de levar mais de seis meses no emprego. Parou de estudar assim que concluiu o ginásio. Aos quinze anos, perdeu a virgindade para o tio, quarentão, irmão de seu pai, homem atlético, campeão de remo e salva-vidas por profissão. Ele não resistiu ao jogo de sedução que ela praticava com a maestria de uma messalina. Ora sentando à sua frente de pernas abertas exibindo a calcinha ou curvando-se diante dele para revelar os peitinhos rijos de menina-moça desabrochando, ora procurando alguma maneira de roçar a bunda no corpo dele ou até mesmo fazendo perguntas embaraçosas sobre sexo, fingindo-se uma garota ingênua no assunto. Quando ainda tinha catorze anos simulou um afogamento na piscina de um clube onde estava com toda a família, para ser "salva" pelo tio que, ágil como um Tarzan interpretado por Johnny Weissmuller, mergulhou, retirou-a da água e aplicou respiração boca a boca naquele corpo de ninfeta seminu, vestido apenas por um minúsculo biquíni de lacinho. Nelson, o tio, por várias vezes tentou dar um basta na relação, que já durava mais de quatro anos. Porém, havia se tornado refém dela, que o chantageava com a ameaça de contar o segredo aos pais caso não recebesse algumas vantagens, sempre em dinheiro compensado com sexo. A agonia de Nelson só terminou depois que ela conheceu Wagner, um jovem da sua idade, caixa de banco, que a engravidou e foi obrigado a casar-se. Permaneceram juntos por três anos e a união foi desfeita depois de muitas brigas violentas motivadas por traições com inúmeros homens. Íris gostava da noite e Wagner não tinha como controlá-la, muito menos como sustentar suas vaidades com o limitado salário que recebia. Flagrou-a na sua própria cama com dois homens, deu-lhe uma surra e a união foi desfeita numa delegacia de polícia. Os filhos, então com dois e três anos, ficaram sob a guarda dos pais dele.

A cegueira da paixão que dominava Marcílio não lhe permitia enxergar nada adiante que não fosse aquela mulher diabolicamente sedutora. Seus gritos lancinantes de prazer fingido o ensurdeciam e silenciavam a sua razão. Ele acreditava que Íris o amava de verdade e que lhe era fiel. Mas ela nunca foi mulher de um homem só. Na sexta-feira que antecedeu ao crime faltou ao encontro marcado no bar porque foi atender ao chamado de um dos seus amantes, um comerciante judeu dono de uma loja de joias, muito generoso ao pagar pelas carícias recebidas.

O dinheiro que Marcílio roubava do caixa da loja tornara-se insuficiente para sustentar o vício com a cocaína e o romance com Íris, que não perdia a oportunidade para falar de dificuldades financeiras, principalmente em relação aos filhos. Sabia que o novo namorado era de família rica e que estava deslumbrado por ela. Pela primeira vez na vida, ele acreditava que estava apaixonado e experimentava uma relação amorosa de verdade. Marcílio, assim, tornou-se presa fácil para as garras inescrupulosas de Íris.

Fernando Moura Maia já desconfiava dos furtos e acabou descobrindo a evasão do caixa. A princípio, suspeitou de outro funcionário da loja e por pouco não cometeu uma injustiça. Ficou mais atento e de olho no filho, que demonstrava comportamento cada vez mais estranho e agressivo, provocado pela cocaína que passou a cheirar também durante o expediente. A certeza de que ele era o autor dos furtos veio quando o viu discutindo na porta da loja com um traficante que foi cobrar uma dívida e viu Marcílio dando-lhe dinheiro. Aproximou-se dos dois, perguntou rispidamente do que se tratava e ouviu uma desculpa improvisada do filho diante da saída silenciosa do bandido. A partir daquele momento passou a exercer uma fiscalização maior sobre a caixa registradora. Mesmo assim, Marcílio continuou surrupiando pequenas quantias, quando o pai se descuidava ao atender um ou outro cliente tradicional da loja, que além da compra tomava-lhe a atenção e o tempo em longas conversas.

Marcílio, contudo, precisava de mais dinheiro. Consegui-lo na loja estava cada vez mais difícil. Sabia que Fernando Moura Maia tinha um cofre no quarto do casal e só precisava descobrir o segredo. Num domingo pela manhã, aproveitando-se de uma das viagens do pai à fazenda e da ida de dona Anita à missa, vasculhou a escrivaninha do escritório da casa e não teve muito trabalho para encontrar o que procurava: uma sequência de números na página da agenda referente ao dia do aniversário de Fernando — 32 à direita, três voltas para a esquerda até a marca 96, 88 à direita e uma volta quase completa à esquerda até o número 7. Foi mais fácil do que imaginava. O conteúdo do cofre era um convite à felicidade. Lá havia dinheiro em espécie, dólares, escrituras e uma caixa de madrepérola com as joias da mãe, que há muito tempo ela não usava. Uma pequena quantia em dinheiro, um anel de ouro e brilhantes foram o fruto do primeiro roubo, que lhe rendeu o equivalente a um ano inteiro de salário mínimo na loja. Marcílio empenhou a joia e deu metade do dinheiro para Íris, sem revelar a verdade sobre sua origem. Disse apenas que foi um adiantamento do pai sobre o lucro de uma das fazendas de cacau da família. Ela ficou radiante e estava pouco interessada de onde vinha aquela pequena fortuna. Sabia, apenas, que daquele poço viria muito mais. Pulou no pescoço dele simulando alegria e surpresa:

— Meu amor, você não existe... Não precisava...

E a recompensa chegou, claro, na cama, com Íris fingindo um orgasmo fácil, enquanto Marcílio gozava na sua segunda ou terceira estocada sem perceber, pela falta de experiência sexual, que a namorada o enganava simulando prazer.

Com dinheiro no bolso para cobrir os gastos com a droga e a namorada feliz e resolvida financeiramente, ele suspendeu por um tempo as investidas no cofre da casa, mas não conseguia perder o hábito dos pequenos furtos na loja. O último foi no dia anterior ao crime.

A rotina de Marcílio mudou completamente, e a família já suspeitava que ele se relacionava com uma mulher. Não ficava mais na sala assistindo televisão até tarde da noite e dormia fora de casa pelo menos três vezes na semana. Ele jamais apresentaria Íris à família, porque ela estava longe dos padrões sociais permitidos pelos Moura Maia. Sabia que ela não seria aceita pelos parentes e por isso tinha que mantê-la longe e desconhecida e, ao mesmo tempo, continuar roubando em casa e na loja para poder provê-la.

Dez dias antes do crime, Marcílio revelou a Íris que além de fumar maconha também cheirava cocaína, o que não a surpreendeu, deixando-o muito à vontade. Ela já desconfiava e pouco se preocupou.

— Bobagem, querido. Pode cheirar, que eu não me importo. Eu não gosto, prefiro fumar "unzinho" e tomar o meu conhaque de vez em quando, mas não tenho nada contra. Eu sei que custa caro, mas você tem dinheiro, pode comprar. Se lhe faz feliz, é isso o que importa.

Além da droga, Marcílio tornava-se cada vez mais dependente de Íris. Ela o compreendia — acreditava —, dava-lhe prazer na cama, não o censurava, não fazia cobranças como o pai, nem era omissa como a mãe. E isso era o suficiente para ele despejar o que imaginava ter de amor dentro de si sobre ela. Para preservar a relação faria qualquer coisa. Qualquer coisa.

Marcílio nunca abriu para Íris a sua intenção de cometer um crime para herdar a fortuna do pai. Não seria necessário. Sua cumplicidade só atrapalharia a execução do plano e poderia estragar tudo caso fosse pressionada pela polícia. Mas ela teria um papel importante, embora involuntário, porque seria peça decisiva na construção do "álibi perfeito" para justificar onde estava e o que fazia no exato momento do crime.

4

O rifle Winchester foi adquirido por Marcílio um mês antes do crime, numa loja especializada em caça e pesca no centro da cidade, utilizando a identidade do irmão, em cuja fotografia 3x4 no documento, já antigo, se parecia muito com ele. O revólver, comprou do traficante que lhe fornecia cocaína. Pagou à vista, com parte do dinheiro da venda do anel. Manteve as duas armas escondidas num velho baú trancado com cadeado, numa das fazendas da família a alguns quilômetros de Salvador, para onde ia com certa frequência nos finais de semana, após o meio expediente dos sábados na loja, algumas vezes acompanhado do pai e de Afrânio, o motorista, que trabalhava com Fernando Moura havia mais de uma década. Faziam a viagem curta, silenciosos. Nos últimos três meses, viajou sozinho e uma única vez com Íris, quando pediu a cumplicidade do motorista para não contar sobre a ida da namorada à fazenda.

Marcílio tinha paixão por armas e filmes violentos. Os enlatados americanos com Charles Bronson, Arnold Schwarzenegger e Sylvester Stallone eram os seus filmes preferidos. Adorava atirar em alvos improvisados com garrafas e latas e, principalmente, caçar aves e pequenos animais silvestres, utilizando sempre uma espingarda velha de ar comprimido. O rifle o fascinava. Era como um brinquedo novo ganho no Natal que, tal uma criança, não dividiria com ninguém, nem mesmo com Gervásio, filho do capataz, jovem negro que cresceu com ele e provavelmente era seu único amigo. Mais do que isso, o "brinquedo novo" fora adquirido para fins mais consequentes do que o lazer de final de semana. Aos domingos, bem cedo pela manhã, pedia a Gervásio para selar um cavalo e, juntos, iam para o meio da mata praticar tiro. Fez isso durante anos. Depois seguiam para tomar banho de rio, nus, e retornavam à sede da fazenda contabilizando os feitos do dia. Marcílio tinha mira melhor e sempre matava mais bichos e acertava mais latas e garrafas do que Gervásio. No domingo anterior ao crime, essa rotina mudou. Marcílio pediu ao amigo para preparar a montaria, mas seguia sozinho para a mata sem dar maiores satisfações, com a espingarda velha transpassada no peito como de costume. Levava o revólver escondido na cintura e o rifle desmontado dentro de uma sacola preta de pano, além de muita munição calibres 44 e 38. Ao retornar a Salvador trouxe as armas consigo no fundo da sacola de roupas.

Assassinar o pai tinha virado uma obsessão. Ele chegou a imaginar outras maneiras para executar o crime com bases nos filmes que via na televisão, mas descartava as ideias em seguida, porque nos enredos que via a polícia sempre chegava ao criminoso no final. Pensou em envenenar Fernando Moura Maia, colocando raticida na comida servida no jantar. Desistiu, porque a autópsia revelaria facilmente a presença do produto em suas vísceras e outras pessoas também poderiam morrer envenenadas. Pensou em provocar um acidente de carro na estrada, cortando a mangueira do óleo de freio. Daria uma desculpa ao pai para não retornar domingo no final da tarde, como sempre faziam, mas uma perícia no carro também revelaria a causa do acidente sem muito esforço. A opção também foi descartada porque poderia provocar a morte de Afrânio, de quem ele gostava muito e era uma das raras pessoas que o faziam rir, por causa do seu estoque inesgotável de piadas de português, que contava escondido do patrão. Para Marcílio, os "josés", "joaquins" e "manuéis" presentes nas anedotas de Afrânio personificavam a imagem estúpida que tinha do pai. E isso lhe fazia muito bem.

O crime, portanto, tinha que ter características espetacularmente monstruosas, feito que só poderia mesmo ser atribuído a um louco, jamais a ele, rapaz comportado, de boa índole, pacato, cabeça no lugar, trabalhador, como acreditava que as pessoas e sobretudo a polícia o veriam. Ninguém de sã consciência, nem mesmo o mais perspicaz dos delegados — imaginava — o tomaria como suspeito de um crime tão hediondo, principalmente sabendo-se que na família convivia um louco, portador de esquizofrenia, pronto para dar vazão à sua loucura num surto momentâneo, como tão previsivelmente ocorre nos filmes. João seria, assim, como um vulcão até então adormecido que entrou em erupção, espalhando a sua lava de sangue sobre a família. Seria o doente mental aparentemente inofensivo, que não conseguia libertar-se do comando de vozes infernais em sua mente que o ordenavam a matar. Era só uma questão de tempo. Perfeito. Assim, Marcílio imaginava ter todos os elementos para levar a empreitada adiante com sucesso: as armas e o criminoso. A origem do rifle não o preocupava, porque o vendedor não teria dificuldade em confirmar a compra feita um mês antes, com o nome e o número do documento de identidade de João nos registros da loja e da própria polícia. O revólver, com numeração apagada, também não seria problema, uma vez que o traficante certamente não se apresentaria para dizer que foi ele quem vendeu a arma para Marcílio.

Agora era tomar coragem e entrar em ação. Os dias seguintes ao crime seriam os mais difíceis. Teria que ter nervos de aço e extrema capacidade de dissimulação para não levantar suspeitas nem entrar em contradições. Haveria policiais interrogando e repórteres fazendo muitas perguntas, portanto as respostas teriam que estar bem ensaiadas para não levantar suspeitas. Demonstraria dor e tristeza, principalmente no enterro diante dos caixões. Receberia abraços e pêsames com olhos marejados e ar cansado. Seria a vítima que escapou milagrosamente da morte porque não estava em casa no instante da chacina. Dentro de poucos dias a polícia chegaria à conclusão óbvia de que o crime fora mesmo cometido por João. O assunto esfriaria e ele, finalmente, seria um homem rico e livre para desfrutar como bem entendesse a herança que o velho português Fernando Moura Maia amealhou ao longo de trinta anos de trabalho e privações em terras brasileiras.

5

Afrânio e sua mulher, Nalva, a cozinheira da casa, chegaram por volta das 7h30 da manhã, como de costume.
Entraram pela porta dos fundos que dá acesso à cozinha e
acharam estranho a ausência de dona Laura, que sempre
acordava muito cedo, tomava café e os remédios e depois
regava as plantas do quintal. Nalva foi até a sala e sentiu
um cheiro estranho de enxofre ainda pairando no ar da
casa, que estava completamente fechada. Subiu a escada va-
garosamente, com um aperto forte no coração. Pressentiu
que algo de muito grave havia ocorrido com dona Laura,
capaz de interromper uma rotina que ela seguia havia anos.
Ao atingir os últimos degraus, viu a velha senhora caída no
chão, ao lado de uma grande mancha de sangue já coagulado e o rifle encostado à parede. Deu um grito e chamou
Afrânio, que subiu as escadas correndo. O motorista, pre-
cavido, mandou que a mulher ficasse onde estava. Antes
de chegar ao corpo de dona Laura, viu João estendido na
cama ensanguentada e o revólver à sua mão. Ele driblou a
mancha de sangue procurando espaços limpos no chão e
foi até o quarto do casal, onde constatou Fernando e Anita
também mortos sobre a cama.

— Meu Deus, Nalva, que desgraça! Aconteceu uma
tragédia!

— E as crianças, Afrânio, as crianças?

Mariá, a caçula da família, tinha onze anos, era portadora da síndrome de Down e fruto de uma gravidez inesperada quando dona Laura já tinha passado dos quarenta anos. Quando ela nasceu, a família ainda não vivia o drama com a esquizofrenia de João, nem com os desajustes sociais de Marcílio. Fernando Moura Maia não perdia a oportunidade de acusar a mulher pela filha caçula ter nascido daquele jeito e só se referia a Mariá como "essa menina retardada". A criança cresceu num isolamento quase absoluto. Era um estorvo para ele. Não saía de casa, porque o pai tinha vergonha. Não ia para uma escola especial, porque o pai dizia que era perda de tempo e que ela não tinha condições de aprender nada. Nunca teve uma festinha de aniversário, porque o pai tinha vergonha de mostrá-la em público e achava que não havia nada a comemorar. Não se sentava à mesa para partilhar as refeições com o restante da família, porque não sabia usar os talheres e derramava a comida. A vida de Mariá só mudou um pouco depois que Fernando trouxe a filha do capataz da fazenda para Salvador. Santinha, irmã de Gervásio, tinha treze anos. Sua tarefa era cuidar de Mariá durante as vinte e quatro horas do dia: dar banho, dar a comida, brincar e dormir juntas. As duas compartilhavam um beliche no quarto de dona Laura.

Ao ouvir os tiros, Santinha, que dormia na cama de cima, desceu rapidamente e escondeu-se sob a cama inferior, levando Mariá consigo, tampando-lhe a boca e protegendo-a num abraço forte, trêmulo e longo. Debaixo da cama, com os rostos virados para a porta entreaberta, elas viram, de passagem pelo *hall*, o autor de toda a barbárie completamente nu. O motorista entrou no quarto tomando sempre o cuidado de evitar pisar no sangue e viu que as meninas estavam salvas, dormindo ainda sob o beliche. Carregou-as uma de cada vez nos braços, cobrindo-lhes os olhos para que não vissem dona Laura morta no chão, e as levou para a cozinha. Primeiro Mariá, depois Santinha. Em seguida, pediu à mulher para ficar com as duas meninas e foi à sala ligar para a polícia.

Nei chegou às oito da manhã aproximadamente e estacionou o carro no acesso à garagem. Havia dormido no motel e acabara de deixar Amélia em casa. Abriu a porta da frente e deu de cara com Afrânio desligando o telefone. O motorista foi em sua direção e o segurou, impedindo-o de subir ao primeiro andar da casa.

— Nei, fique calmo, não suba. Aconteceu uma coisa muito grave, acabei de chamar a polícia. É uma tragédia. Por favor, fique aqui, vamos esperar a polícia chegar. Tem muito sangue lá em cima.

— Que tragédia, o que foi que aconteceu? Eu quero subir...

— Não. Por favor, não suba. Estão todos mortos lá em cima. Seu pai, sua mãe, sua avó e João.

— Mortos, como mortos? Que loucura é essa?

Afrânio o abraçou, procurando segurá-lo e controlá-lo. Chorou junto com ele.

— Fique calmo, pelo amor de Deus, fique calmo!

— Quem pode ter feito isso, Afrânio? Que barbaridade é essa?

O motorista já havia deduzido quem era o assassino. Viu o rifle encostado na parede do *hall* e o revólver na mão de João. Não foi difícil concluir que o jovem, num acesso de loucura, dizimou os parentes e deu cabo da vida em seguida. Tudo estava muito claro.

— Parece que foi João. Ele está todo ensanguentado com uma arma na mão.

A primeira viatura policial com um sargento e dois soldados PMs chegou à casa da rua Dallas, 55, minutos após o chamado do motorista. Os policiais conversaram rapidamente com ele e subiram as escadas para conferir o quadro. O sargento ordenou que os soldados descessem e permanecessem no pé da escada para que a cena do crime não fosse alterada e, com o devido cuidado, foi conferir o número de vítimas. Retornou à sala e acionou a Delegacia de Homicídios. A notícia da chacina se espalhou rapidamente. Antes mesmo de a Polícia Civil chegar, a frente da casa estava repleta de jornalistas e vizinhos curiosos. O sargento pediu outras viaturas e colocou estrategicamente soldados nos portões para impedir a entrada de estranhos.

Nei ligou em prantos para Vânia, a irmã mais velha, e pediu que ela viesse imediatamente à casa dos pais. Em seguida, falou ao sargento que iria buscar o irmão na casa da namorada perto dali. Afrânio se prontificou a ir com ele, mas Nei pediu para ele ficar, porque era a única pessoa ligada à família naquele momento dentro da casa. Os repórteres o cercaram enquanto tentava tirar o carro da rampa de entrada da garagem. Teve dificuldades para sair.

Nei lembrou bem a indicação que Marcílio lhe dera do endereço de Íris. Ao chegar à entrada do prédio arriscou o número 201 no interfone. Era um edifício de três andares, com dois apartamentos em cada piso e ele lembrava apenas que Marcílio havia citado o segundo andar. Acertou de primeira. Do outro lado da linha ouviu a voz do irmão, que desceu para abrir o portão. Os dois subiram para o apartamento e Marcílio segurou o rosto de Nei que falava descontroladamente, pedindo para ele se acalmar. A porta do quarto, totalmente aberta, revelava a nudez de Íris que dormia de bruços, corpo dourado de sol com a minúscula marca do biquíni acentuada na bunda. Parecia morta. Nei mal percebeu. Marcílio encostou a porta do quarto e ouviu mais uma vez o relato breve do irmão que queria levá-lo o mais rapidamente possível. Marcílio se vestiu e os dois foram para casa por volta das nove da manhã.

As pessoas em frente à casa especulavam sobre o que ocorreu e davam as mais diversas versões sobre o crime: o motivo, as vítimas e o criminoso. A morte de praticamente toda uma família já seria notícia suficiente para gerar curiosidade mórbida naquela gente; de uma família rica com sobrenome tradicional, então, era um prato cheio. Seria assunto em todas as esquinas, em todas as mesas, em todos os bares. Nei parou o carro a cem metros do portão, pois não tinha como entrar na garagem. Demonstravam medo diante daquele exército armado com suas câmeras fotográficas, microfones e gritos. Não sabiam o que dizer. Foram cercados pelos repórteres e fotógrafos, que disparavam suas máquinas e uma bateria de perguntas como se fossem armas de guerra. As manchetes de primeira página dos próximos dias estavam garantidas. A todo instante a única emissora de televisão dava boletins sobre o ocorrido sem acrescentar muita novidade às informações de que dispunham até então. As rádios entrevistavam transeuntes e policiais que pouco acrescentavam ao que já se sabia. Àquela altura, a informação não comprovada de que tudo indicava que o crime fora cometido por um membro da família com problemas mentais já havia vazado para fora da casa.

— Seu irmão era violento? Ele já havia tentado isso antes? Por que ele não estava internado num manicômio? De quem era a arma? Vocês estavam em casa na hora dos tiros? As perguntas ficaram sem respostas e eles tiveram dificuldade para desvencilhar-se da imprensa. O delegado Paulo Carvalho, que acabara de chegar, protegeu os dois jovens e os conduziu para dentro da casa com o auxílio de dois agentes policiais. Marcílio mostrava-se frio. Não derramou uma lágrima. Sentou-se na sala, ao lado de Nei e de Vânia que chorava muito e era consolada por Guilherme, seu marido. O delegado sugeriu, em tom de ordem, que todos deveriam permanecer ali até a conclusão dos primeiros trabalhos periciais e que, depois, faria algumas perguntas de praxe.

As primeiras conclusões do delegado Carvalho caíram feito música nos ouvidos de Marcílio. Exatamente como ele havia previsto.

— Sei que este é um momento muito difícil para todos vocês, mas eu peço que se mantenham calmos. Tudo indica que foi mesmo o irmão de vocês quem praticou essa barbaridade e depois deu cabo da própria vida. Ninguém sobe até a perícia concluir os trabalhos. O pessoal da Polícia Técnica já está a caminho.

A pequena Mariá permanecia com Santinha e Nalva na cozinha, repetindo uma ladainha que passou despercebida pelos empregados, pelos parentes e pela polícia: "Marcílio bum, bum, bum... Marcílio bum, bum, bum".

6

O delegado Paulo Carvalho tinha treze anos de polícia. Formou-se em direito a duras penas, trabalhando de dia como escriturário da companhia de luz e estudando à noite. Natural de Feira de Santana, mudou-se para a capital ainda adolescente, onde dividia um pequeno quarto de pensão para estudantes na Ladeira do Sodré, vizinho de prostitutas e malandros. Assim que concluiu o curso e obteve a carteira da OAB, inscreveu-se nos concursos para o Ministério Público e para a Polícia Civil da Bahia. Queria ser delegado ou promotor. Passou nos dois e optou pela polícia. Começou a carreira numa delegacia de bairro na periferia da cidade e, por influência de um deputado, conseguiu transferência para a Delegacia de Homicídios, como delegado auxiliar. Cinco anos depois, tornou-se delegado titular, adquirindo fama na solução de inúmeros casos de assassinato. Entre os de maior repercussão, levou ao banco dos réus um prefeito do interior que matou a amante em Salvador, um agiota que assassinou um funcionário público que lhe deu calote na dívida, e um comissário de polícia que chefiava o esquadrão da morte em Salvador. Paulo Carvalho era um policial respeitado e tido como incorruptível.

Ao verificar a cena do crime, deduziu, antes mesmo da análise da perícia, o que lhe pareceu óbvio: "o assassino é o rapaz". Marcílio procurava esconder o nervosismo olhando para o chão, evitando encarar o delegado e recolhendo as mãos trêmulas sob as pernas. Até ali, tudo estava saindo conforme havia planejado.

Nei tomou a iniciativa e insistiu com o delegado sobre o que realmente ocorreu e se o crime não poderia ser obra de um ou mais assaltantes.

— Não creio, meu jovem. Pelo visto, enquanto vocês estavam dormindo fora de casa, seu irmão, que pela informação que recebi do motorista do seu pai, sofria de doença mental grave, executou um plano macabro que, ao que me parece, já vinha elaborando havia algum tempo. Posso estar enganado, vamos aguardar a Polícia Técnica para que a gente possa confirmar esse quadro, mas tudo leva a crer que foi ele mesmo o autor da chacina. Até porque, nada foi roubado da casa, o que descarta de imediato a possibilidade de latrocínio. E depois tem outra coisa: "só mesmo um louco seria capaz de cometer um crime dessa natureza". Marcílio concordou balançando a cabeça discretamente.

— Não é possível, doutor. João tinha problemas mentais sim, mas seria incapaz de fazer mal a alguém... — contestou Vânia.

Ela abraçou Nei que, dentre todos, era o mais inconsolável. Marcílio permaneceu silencioso. Um dos agentes da Polícia Civil entrou na casa e conversou quase sussurrando com o delegado. Informou-lhe que a imprensa do lado de fora queria uma declaração e pedia para que ele fosse dar uma entrevista. O delegado tinha plena certeza de que os peritos, que tinham acabado de chegar, apenas ratificariam as suas conclusões sobre o crime e saiu para conversar com a imprensa. Abriu a porta principal da casa com ar triunfal, deu três passos à frente na varanda, que fez de púlpito, e, com os braços levantados pediu silêncio para falar. Ver seu nome e sua foto estampados nas primeiras páginas dos jornais solucionando um crime de grande repercussão era um momento glorioso do seu trabalho. Vaidoso, ele adorou.

— Quem matou, delegado? Foi mesmo um dos filhos? O senhor já sabe o motivo? A que horas aconteceu? Qual foi a arma que ele usou? Quais são as vítimas? A gente pode entrar para fotografar?

— Calma pessoal, calma! Se vocês fizerem um pouco de silêncio, vocês vão ter as informações de que precisam.

O delegado Carvalho, mesmo após vinte e quatro horas de plantão, salvo a barba por fazer, parecia ter começado a trabalhar naquela manhã, tal a sua disposição. Vestia-se espalhafatosamente, com paletó de estampa quadriculada, camisa vermelha, gravata multicor frouxa no pescoço e calça preta. Nada combinava com nada, mas a roupa exagerada ajudava a compor o seu estilo de policial diferenciado. Fez pose para os fotógrafos e cinegrafistas e deu o alimento que os repórteres tanto queriam no mais puro linguajar policial:

— Tudo o que posso adiantar, ainda em caráter extraoficial porque dependemos das análises da Polícia Técnica, é que a família do doutor Fernando Moura Maia — ele, sua senhora e sua sogra — foram assassinados pelo filho João, que se suicidou em seguida. O rapaz era doente mental e, pelos aspectos superficiais que já observei, ele já vinha tramando esse ato tresloucado havia algum tempo. Utilizouse para tanto de um rifle para matar as vítimas e de um revólver 38 para atentar contra a própria vida com um tiro na cabeça. Portanto, tudo leva a crer que se trata de um crime premeditado com quatro vítimas fatais, inclusive o provável autor das outras mortes. Pela minha experiência, tenho quase 99 por cento de certeza de que este caso estará resolvido e o inquérito concluído muito rapidamente, não restando dúvida sobre a autoria desta tragédia que choca terrivelmente toda a sociedade baiana. É só o que posso declarar neste momento.

Um dos repórteres perguntou se poderia entrar na casa para fotografar a cena do crime e as vítimas, mas o delegado informou que só seria possível após a conclusão dos trabalhos periciais, prevista para o final da tarde, para não alterar a cena do crime.

As rádios foram os primeiros veículos de comunicação a espalhar a notícia. Gente importante da cidade, comerciantes, políticos e até mesmo o governador deram depoimentos lamentando o fato e solidarizando-se com o que restou da família Moura Maia. O jornal de maior tiragem de Salvador, que era vespertino, estampou na manchete de capa da edição que começou a circular ao meio-dia daquele sábado: "Filho louco elimina quase toda a família e depois se mata". E na página policial foi mais longe: "Crime da rua Dallas: delegado diz que caso está 99% solucionado". Na ausência de fotos dos corpos, das armas e da cena do crime, o jornal estampou a foto do delegado, da fachada da casa e foi buscar nos arquivos uma foto antiga e rara de Fernando e Anita Moura Maia durante um evento social, para ilustrar a matéria.

O delegado retornou ao interior da casa na certeza de que, ao final do seu plantão que já vencera, contabilizaria para a sua lista de crimes resolvidos o caso mais importante da sua carreira, com repercussão no Brasil e no exterior. O telefone da sala tocou. Do outro lado da linha, era o governador, homem autoritário e temido, querendo falar com ele. Queria solicitar o máximo de empenho na conclusão do caso, "porque se tratava de família importante e que não admitiria erros na investigação policial".

— Bom-dia, delegado.

— Estou ouvindo nas rádios que o senhor praticamente já desvendou o crime, isso é verdade? O senhor não está sendo precipitado?

Carvalho, sem esconder uma certa subserviência e exagerando na solicitude, confirmou ao governador o que falara para a imprensa minutos antes.

— É uma honra falar com o senhor, governador! O senhor pode ficar tranquilo, governador. Eu posso lhe garantir que, pelo quadro que temos aqui, é quase certeza que o rapaz realmente é o assassino. Era um jovem louco, esquizofrênico, tomava muitos remédios controlados. Só um indivíduo assim poderia cometer tamanha barbaridade. O senhor me conhece e sabe o quanto sou cauteloso. Eu disse aos jornalistas que a informação era extraoficial e que ainda dependíamos dos exames periciais.

— Confio no senhor, espero que não se engane e não esteja sendo precipitado. Tomara mesmo que o assassino seja esse maluco e ainda bem que esse infeliz se matou.

Marcílio ouviu o que o delegado falou, imaginou todo o diálogo e cada vez mais acreditava que havia cometido o crime perfeito. Levantou-se pela primeira vez e serviu-se de um sanduíche e café com leite, na bandeja preparada por Nalva, a pedido de Vânia. Parecia ter controlado os nervos definitivamente.

7

A jovem médica Cristiane Betini havia se formado em medicina havia quatro anos. Após o período de residência no Hospital do Pronto-Socorro, atendendo principalmente a casos de vítimas de violência provocada por facadas e tiros, decidiu especializar-se em Medicina Legal. Passou em primeiro lugar no concurso para o quadro de médicos legistas do Instituto Nina Rodrigues e era um dos mais aplicados assistentes do famoso e excêntrico legista Carlos Pitex. Cristiane era neta de imigrantes italianos. Mulher bonita, jeito discreto e sereno, sempre de cabelos longos amarrados no estilo "rabo de cavalo", sua presença nas cenas de crimes violentos nunca passava despercebida, mesmo trajando o costumeiro jaleco branco de ofício.

Enquanto o delegado dava o seu *show* para a imprensa e se regozijava com o telefonema do governador, ela havia subido ao andar de cima da casa para uma verificação primária do cenário macabro. Desceu as escadas sob o olhar de todos, como se estivesse adentrando ao salão de uma grande festa. O delegado a acompanhou, boquiaberto, a cada degrau suavemente descido. Imaginava o que aquela mulher tão acostumada a lidar com mortos sobre uma pedra fria não seria capaz de fazer com ele, vivo, numa cama quente. Eles já haviam feito parceria em outros casos, quando ambos, invariavelmente, chegavam às mesmas conclusões. Carvalho foi ao seu encontro na base da escada.

— E aí, doutora, vejo que a senhora já deu uma olhada no cenário. Pelo que eu vi, parece que as coisas estão muito claras, não é verdade?

— Vamos ver delegado, vamos ver... — resondeu.

Respondeu de forma lacônica, enquanto vestia as luvas cirúrgicas para iniciar o trabalho com a sua equipe. Carvalho permaneceu na sala. Como de costume, deixou a perícia livre da sua presença durante os trabalhos iniciais. A dra. Cristiane subiu, dessa vez com o perito de campo, o fotógrafo e o datiloscopista. O delegado a seguiu com o olhar, como um espectador admirado com o galgar de uma acrobata ao topo do trapézio. Ao perdê-la de vista no alto da escada, retornou à realidade e iniciou um breve interrogatório com os parentes sobre onde e com quem estavam na hora do crime, a personalidade e os hábitos de João e se tinham alguma ideia para a motivação do crime, além da loucura.

A equipe de peritos foi primeiramente ao quarto do suposto assassino. A médica verificou a posição do corpo e o orifício provocado pela bala, constatando a presença de pólvora queimada no lado direito do rosto e nos cabelos e que, pelo diâmetro da perfuração, havia sido provocado por arma de médio calibre — o revólver 38 na mão direita do morto — disparada com o cano encostado na cabeça. Fez anotações em sua caderneta e recolheu os frascos de remédio que estavam sobre a cômoda do lado esquerdo da cama. Deu um leve tapa no pé de João, gelado àquela altura, passando o "presunto" para Jorge Bernardo, o perito de campo. E fez um comentário irônico que, mais tarde, seria decisivo para a elucidação do crime:

— Com todo esse sangue aí no corredor, não tem uma gotinha sequer nos pés dele, você reparou, Jorge? Não é estranho?

— É, parece que tem coisa aí, doutora.

— Se ele ia se matar depois, por que tomou tantos cuidados para não pisar no sangue?

O perito abriu armário e gavetas buscando alguma coisa que pudesse servir de prova no processo. Encontrou no fundo de uma gaveta com cuecas e meias um potinho de plástico utilizado para guardar filme fotográfico com uma pequena quantidade de maconha e um papelote com cerca de dois gramas de cocaína.

— Olha só, doutora, o rapaz tomava todos esses remédios e ainda por cima fumava e cheirava. Devia ficar mais doidão ainda.

— Será que era dele mesmo? Tem outra cama aqui...

Jorge Bernardo aproximou-se do corpo de João, virando-o para a posição de decúbito frontal e notou que havia um papel dobrado no bolso esquerdo da camisa do pijama, o lado da roupa que não estava manchado de sangue.

— Veja isso, doutora, parece que temos algo interessante aqui. Aposto que é um "recadinho" do moço se explicando.

Abriu a folha de caderno e leu o conteúdo do escrito. Se aquela realmente for a letra de João — ela conjecturou — o rapaz é mesmo o assassino. Seria muito difícil derrubar uma prova material robusta como aquela, sob o argumento de que outra pessoa o teria induzido a escrever o bilhete. A médica sugeriu que era preciso encontrar alguma coisa que tenha sido escrita por ele para fazer a comparação da caligrafia.

Enquanto Bosco fotografava o morto e o quarto por todos os ângulos, caprichando nos planos fechados e nos detalhes, especialmente nos pés e na cabeça, Aguinaldo recolhia as impressões digitais e o revólver, que devidamente foi colocado num saco plástico e lacrado em seguida. Jorge Bernardo anotou tudo o que viu dentro do quarto. A dra. Cristiane comentou com ele:

— Não sei não, mas está parecendo que toda a cena foi montada.

Bosco fotografou o rifle na parede e o corpo de dona Laura, que tinha parte do tronco e as pernas para fora do quarto, totalmente ensanguentado. Aguinaldo colheu impressões digitais nas maçanetas das portas e colocou a arma num saco plástico maior, para análise datiloscópica posterior. Cristiane, em seguida, e com a ajuda de Jorge, virou o corpo da senhora para verificar a perfuração e fez as anotações devidas. Bosco concluiu o trabalho fotográfico no quarto do casal e a doutora analisou os ferimentos do marido e da mulher detalhadamente, indiferente à transfiguração que o tiro provocou no rosto de dona Anita, que estava com os olhos abertos, congelados pelo horror antes de receber o tiro. E fez outro comentário, que na entrelinha já dava a entender que não acreditava na possibilidade de os crimes terem sido cometidos por João, conforme a conclusão precipitada do delegado Carvalho.

— Eu acho que quem fez isso, parceiro, calculou tudo quase direitinho. Quase. E quer saber? Não tinha nem um pouco de piedade no coração. Se a letra do bilhete for realmente do maluco, ele era ainda mais frio quando estava vivo.

— Pode crer, doutora! Quem desferiu o tiro sabia manejar bem aquele rifle. E eu acho que por isso não vamos ter muita dor de cabeça. A única coisa que não está se encaixando é o bilhete — observou o experiente Jorge Bernardo, com mais de vinte anos de perícia criminal.

— Eu sei, Jorge. Esse bilhete pode ter sido forjado e plantado no bolso do rapaz. Quem não vai gostar muito do que a gente acabou de verificar aqui é o delegado Carvalho, que botou o carro adiante dos bois.

A dra. Cristiane Betini concluiu os trabalhos juntamente com os peritos e desceu para conversar com o delegado, que apenas quis saber a hora aproximada das mortes, informação que eliminaria de uma vez por todas qualquer suspeita entre os outros familiares e empregados da casa, porque todos tinham álibi para o período entre as dez da noite de sexta-feira e sete da manhã de sábado. Jorge Bernardo mostrou ao delegado o bilhete encontrado no bolso do pijama de João, informando que também achou pequenas quantidades de maconha e cocaína numa das gavetas do primeiro quarto e que o material iria para análise de impressões digitais. Jorge informou ainda que, no dia seguinte, faria uma varredura mais precisa na casa para ver se encontrava alguma outra coisa escrita pelo jovem esquizofrênico, para confirmar a autoria do bilhete.

O delegado Paulo Carvalho ficou exultante e pediu para ficar com o bilhete, porque queria que a imprensa o fotografasse. Jorge pediu apenas que o papel não fosse manuseado e permanecesse no envelope de plástico transparente para não alterar as impressões digitais.

— Bingo, Jorge Bernardo! Era tudo o que a gente precisava. Como todo bom suicida, esse filho da puta maluco também deixou a sua mensagem de despedida dando as razões para o seu ato. Para mim, o caso está praticamente fechado.

De longe, Marcílio viu quando o bilhete foi entregue, mas não ouviu nada do que o perito, de costas para ele, falou ao delegado Carvalho, que tinha pressa em liberar a cena do crime para a imprensa e encaminhar os corpos ao necrotério para os procedimentos de necropsia. Queria que o enterro coletivo acontecesse o mais rapidamente possível, conforme exigência do governador, e perguntou à médica se os trabalhos da perícia na cena do crime haviam se encerrado. Jorge Bernardo ficou por mais algum tempo, pois precisava levar as armas e o bilhete para análise depois que o delegado mostrasse para a imprensa.

— Perfeitamente, doutor, o campo está liberado. As mortes ocorreram entre 2h e 2h30 da madrugada. Mas precisamos conversar. Têm alguns pontos que ainda não se encaixam.

— Amanhã, no final da tarde, lá na delegacia, está bom para a senhora?

— Perfeito. Vamos realizar as autópsias ainda hoje, e amanhã, creio, já teremos alguns resultados de laboratório.

8

Íris acordou por volta de uma da tarde. A cabeça explodia de dor. Ainda sentia-se zonza, por causa do conhaque, da maconha e, sobretudo, do remédio para dormir que tomou involuntariamente. Nunca tivera ressaca tão devastadora. Fez um café, acendeu um cigarro e o apagou após a primeira tragada mal absorvida. Ligou o chuveiro e deixou que a água quente fizesse a sua parte por quase meia hora, aliviando a enxaqueca e devolvendo-lhe os sentidos. Vestiu um roupão, ligou a tevê e sentou-se no sofá. Não acreditou no que viu: a imagem de Marcílio, gravada pela manhã, tentando entrar em casa ao lado do irmão, perseguido por um batalhão de repórteres e a voz de um locutor em *off* relatando mais uma vez o crime.

Curou de vez a ressaca.

— Deus do céu, que loucura!

Ela procurou organizar os pensamentos e relembrar tudo o que havia acontecido enquanto o namorado esteve em sua casa na noite anterior. Por um instante, teve pena dele. Sabia que detestava o pai, mas certamente não desejava sua morte, principalmente daquela maneira tão perversa. Ele falava pouco sobre a família e nunca havia feito nenhuma referência à loucura do irmão. Caminhou de um lado para o outro na sala, sem saber bem o que fazer: se ia à casa de Marcílio ali perto ou se ligava para confortá-lo e prestar solidariedade. Descartou as duas possibilidades. O melhor seria acompanhar o caso de longe, pelo menos naquele momento, que havia muita imprensa, polícia e curiosos em frente à casa. Vestiu-se e foi até a banca de jornais na esquina da rua comprar o *Diário da Tarde* para saber mais detalhes sobre o crime. Leu tudo. Constatou num perfil sobre os Moura Maia, destacado num *box* ao lado da manchete principal, que a família era uma das mais ricas de Salvador, possuidora, além da rede de lojas de tecidos, de fazendas de cacau e gado e de inúmeros imóveis. Deixou de lado a solidariedade momentânea e concluiu simploriamente que o seu namorado, futuro noivo e marido, herdaria um bom pedaço de toda aquela fortuna. Acreditou ter encontrado, de mão beijada, um bilhete premiado.

O que fazer dali para frente enchia a cabeça de Íris — agora sem dor — de dúvidas. Ela sabia o quanto ele estava apaixonado e tinha dimensão da sua capacidade de influenciá-lo. Se ela já contava com a "ajuda" dele com quantias em dinheiro que comparadas ao volume da fortuna eram irrisórias, agora teria a oportunidade de se tornar uma mulher rica. Ficaria com ele alguns anos até formar um patrimônio sólido e depois o abandonaria para levar a vida como sempre desejou.

Já disposta, Íris comeu o que sobrou de uma salada que estava na geladeira, descansou à tarde e acordou às 7 da noite. Ligou a tevê para acompanhar o noticiário e viu novas imagens do crime, que mostravam os corpos, as armas envoltas em sacos plásticos e o bilhete do "suicida". O delegado concedeu entrevista coletiva na sala e informou que um dos filhos, Nei — agora o mais velho e certamente mais articulado com as palavras — faria uma declaração em nome da família, ou o que sobrou dela: "Eu e os meus irmãos estamos muito chocados com o que aconteceu e ainda não sabemos exatamente o que levou a tudo isso.

Não temos muito o que declarar nesse momento e tenho certeza que o delegado poderá dar as informações que vocês precisam".

Antes que os repórteres insistissem em fazer perguntas a Nei, Carvalho deu o basta e falou em tom discursivo:

— Chega, pessoal, chega! Eles estão muito abalados sob forte tensão emocional e peço a compreensão de todos. Vocês podem subir e fazer as fotos que precisam. De novo mesmo, tenho aqui um bilhete que encontramos no bolso de João, onde ele dá as razões, se é que podemos chamar assim, para o ato que cometeu, e estas foram as armas utilizadas nos crimes: um rifle Winchester de caça, calibre .44 e um revólver Taurus, calibre 38, com o qual ele se matou. Os óbitos ocorreram, segundo a nossa competente legista, doutora Cristiane Betini, entre 2 e 2h30 da madrugada deste sábado. Amanhã pela manhã tomaremos os depoimentos dos familiares aqui presentes, sobreviventes graças ao bom Deus, dessa chacina que entristeceu e enlutou todos os baianos.

Íris viu Marcílio na tevê em segundo plano, sentado no sofá, de cabeça baixa, abraçado pela irmã. E comentou cinicamente:

— Fique calmo, meu amor. Dentro de pouco tempo eu vou cuidar de você.

Assim que terminou o noticiário da televisão, ela saiu do apartamento e deu uma passada em frente à casa 55 da rua Dallas para ver se ainda havia movimento de pessoas. Dois camburões do IML, uma viatura policial e um carro da TV ainda estavam na porta. Ela passou caminhando devagar pelo outro lado da rua e seguiu em frente. Assim que retornou à sua casa recebeu uma ligação de Marcílio, que deduziu que ela já soubesse de tudo.

— Meu amor, é você? Eu imagino como você deve estar se sentindo. Que golpe! Eu queria estar aí para ficar ao seu lado. Como é que você está? Eu queria lhe ver.

Marcílio disse que seria impossível naquele momento, mas no dia seguinte, após prestar seu depoimento na delegacia, iria direto para o apartamento dela. Desligou e o aparelho tocou em seguida. Era Amélia querendo falar com Nei, que também pediu para que ela não fosse à sua casa, porque estava tudo muito confuso e que a veria no dia seguinte.

Íris enrolou um baseado, fumou e dormiu em seguida. Queria sonhar com o luxo e a luxúria que a aguardavam num futuro bem próximo. O carro que nunca teve, as viagens que nunca fez, os homens que poderia escolher não por interesse financeiro, mas por mero desejo sexual. E comentou para si, blasfemando em tom de deboche:

— E ainda dizem que Deus não existe.

9

Começava a anoitecer quando o delegado Paulo Carvalho abriu a porta da casa e liberou o acesso à imprensa. Antes, porém, fez duas exigências. Só entrariam dois profissionais por veículo e deveriam estar com suas devidas credenciais em mãos. Um soldado da PM fez a verificação dos documentos. Carvalho subiu três degraus da escada para poder destacar-se entre os repórteres e sair bem nas imagens e fotos. Tinha certeza de que as palmilhas que usava nos sapatos e lhe davam um ganho de dois centímetros no seu 1,61 metro de altura seriam insuficientes para colocá-lo no patamar que o momento exigia. Depois da entrevista coletiva liberou a passagem para que os fotógrafos subissem.

Os irmãos Nei, Marcílio, Vânia e o marido foram filmados e fotografados no sofá. Estavam exaustos, com expressões abatidas, sem forças para reclamar de nada. Por sugestão do delegado transferiram-se para o gabinete do pai, juntamente com Mariá, Santinha, Afrânio e Nalva. Por longa meia hora a casa foi invadida e vasculhada, com a intimidade da família totalmente devassada. Os corpos de Fernando, dona Anita, dona Laura e João, com as entranhas expostas, foram novamente agredidos, dessa vez com *flash* que disparavam como balas de rifle. Os fotógrafos pareciam abutres saciando a fome num banquete de vísceras e sangue coagulado. O delegado Paulo Carvalho e alguns policiais civis acompanharam tudo. Vânia, que passou todo o dia em silêncio, soltou um grito desesperado que ecoou por toda a casa, pedindo, em prantos, desesperadamente, que todos saíssem.

— Cheeeeeega! Respeitem a nossa dor!

Os jornalistas se retiraram meio sem jeito, alguns pedindo desculpas. O delegado tentou confortá-la e a reencaminhou para o gabinete, porque a cena seguinte seria ainda mais traumática. Quatro funcionários do Instituto Médico-Legal entraram na casa com bacias retangulares de alumínio para a retirada dos corpos. Passava das 8 da noite e começou a chover forte naquele que seria o dia mais longo e doloroso da família Moura Maia. Os corpos ensacados em plástico preto deixaram a casa debaixo de um temporal. Meia hora depois a cena do crime estava completamente liberada.

O delegado Carvalho também estava exausto. Nas últimas 36 horas havia tirado apenas uma soneca de trinta minutos, momentos antes de ser chamado à rua Dallas, quase no final do seu plantão. Pediu desculpas aos familiares, abraçou Vânia, Nei e Marcílio com carinho e solicitou a presença de todos na manhã seguinte em sua delegacia para prestarem depoimentos, às 10 horas. Ainda sugeriu que fossem acompanhados do advogado da família, mas que não se preocupassem. Era praxe. Era o recomendável.

— Fiquem tranquilos, descansem, sei da dor de todos nesse momento e o quanto todo esse dia foi torturante, mas infelizmente estou cumprindo com o meu dever e é essa, exatamente, a parte mais cruel do ofício de um delegado de polícia, obrigado a conviver praticamente todos os dias com situações tristes, mas nenhuma tão dramática como esta.

Santinha foi para a casa de Afrânio e Nalva. Nei, Marcílio e Mariá foram para o apartamento de Vânia. O motorista recebeu instruções para trazer Santinha às 9h30 da manhã seguinte e que depois deveria conduzi-los à delegacia.

Marcílio se prontificou a subir e pegar uma muda de roupa para Nei e a irmã pequena. Caminhou pelo cenário da chacina e dessa vez não se preocupou em desviar os passos das manchas de sangue. Ao sair à rua, a água da chuva limparia a sola dos seus sapatos, lavaria as marcas do seu crime. Agora sim, desfeita a cena, tinha certeza que cometeu o crime perfeito. Sentiu vontade de beber um Campari, sua bebida preferida. Rubra como aquele sangue.

As redações dos dois jornais diários da cidade fervilhavam. O vespertino *Diário da Tarde* havia saído na frente no sábado com o "furo", dando como de que a versão do filho louco que matou a família, sustentada no primeiro instante pelo titular da Delegacia de Homicídios. O *Jornal da Bahia*, matutino que fazia oposição ao governador e, por causa disso, era vítima de uma perseguição sem tréguas, circularia no dia seguinte levantando dúvidas e criticando a pressa da polícia no desfecho do caso. Seu editor, o jornalista Rafael Teixeira, polêmico e de texto ferino, lamentou em editorial a morte bárbara e desafiou as autoridades policiais a não sucumbirem às evidências circunstanciais da cena do crime para concluir o caso precipitadamente.

Enquanto escrevia, sua namorada, nada mais nada menos que a dra. Cristiane Betini, ligou para ele no telefone direto da mesa do editor. Passaria a noite vasculhando as entranhas dos cadáveres, especialmente o de João, em busca de evidências para a elucidação do crime. Tinha quase certeza de que não encontraria vestígios de cocaína e maconha nas vísceras do rapaz, o que direcionaria as suspeitas sobre o outro irmão.

— Querido, você está sentado? Pois bem. Com cem por cento de certeza, não foi o rapaz quem matou. A cena do crime foi montada. O assassino é um dos dois irmãos e eu acho que é Marcílio. Eu sei que ele tem álibi e o outro irmão, Nei, também. Tem o bilhete que a gente encontrou, mas acredito que possa ter sido forjado. O criminoso deixou alguns furos, erros até primários. Tem muito nó solto ainda, mas vá por mim. Em 48 horas a gente desvenda tudo.

O jovem repórter Fernando Pita entrou na redação quase sem fôlego. Trazia nas mãos um caderno espiral cheio de anotações e relatos desconexos. Era o diário de João, pelo menos parte dele. Correu para o chefe de reportagem gritando e dizendo:

— Olha o que eu consegui!... Olha o que eu consegui!...

O garoto-repórter, de apenas dezoito anos, tinha conseguido um tesouro jornalístico, que mudaria por completo a versão corrente da autoria do crime. Era um caderno com relatos escritos por João Moura Maia. Um diário. O *Jornal da Bahia* publicou vários trechos na mesma página em que destacava o bilhete do "assassino". As grafias eram diferentes. Não batiam. O bilhete era mesmo forjado. A prova mais contundente do delegado Carvalho caía por terra.

Fernando Pita quase foi impedido de entrar na casa da rua Dallas, quando a cena do crime foi liberada para a imprensa. Como o delegado só autorizou dois profissionais por veículo, ele, que cumpria sua primeira semana como "foca" na redação do matutino, pediu para acompanhar o experiente repórter policial Alberto Holanda e o fotógrafo Anísio Paixão, quando estes saíam apressados da redação para cobrir o caso. Enquanto eles mostravam as credenciais, Pita aproveitou-se da distração do soldado, passou por trás dos repórteres e entrou na casa sem ser percebido. Holanda, Paixão e os outros repórteres e fotógrafos percorriam toda a cena do crime do andar superior da casa. O jovem repórter, porém, foi para onde ninguém se interessou ir. Ele permaneceu escondido atrás da porta do quarto de João, em seguida desceu as escadas sem ser visto e foi para o porão. Não sabia bem o que iria procurar. Remexeu nos caixotes cheios de revistas e livros escolares velhos, nos baús com objetos em desuso, olhou atrás de um armário sem portas e, por fim, sem dificuldade, arrombou a gaveta superior de uma cômoda. Encontrou vários cadernos com a mesma inscrição na capa: "meu diário. João Moura Maia". Escondeu um dos volumes nas costas sob a camisa e saiu da casa tremendo de excitação. Foi para o carro do jornal e aguardou ao lado do motorista a volta de Alberto e Anísio. Os dois repórteres chegaram logo em seguida.

— Eu tenho um negócio para mostrar a vocês. Roubei esse caderno e acho que é do maluco.

— Garoto, como você conseguiu isso?

Compenetrado, Pita contou que ficou escondido, enquanto eles circulavam pelo andar superior da casa e resolveu dar uma procurada por conta própria no porão.

— Pode crer, garoto! Você conseguiu o recheio do bolo. Esse caderno aqui é glicerina pura. É o passaporte que pode lhe garantir o direito de frequentar o seleto clube da reportagem policial. Parabéns!

Todos riram. Fernando Pita ficou todo orgulhoso. A página com a matéria sobre o crime da edição de domingo, 11 de março de 1970, com o seu nome no cabeçalho logo abaixo da manchete ao lado de dois jornalistas experientes, foi emoldurada pelo pai e colocada na sala de visitas da sua casa em Santo Antônio de Jesus, no interior da Bahia. Era o primeiro troféu da sua vida.

Apesar do pouco tempo na redação, Pita começou a trabalhar no matutino aos catorze anos, levado pelo irmão que era funcionário do jornal. Após concluir o ginásio no interior, veio para Salvador fazer o curso colegial clássico. Estudava pela manhã e, à tarde, trabalhava como *office-boy* no departamento de circulação. Sempre gostou de ler e escrevia com criatividade, sem erros gramaticais. Aos quinze anos foi transferido para o setor de controle como auxiliar de escritório e, sempre que podia, dava uma circulada pela redação ou ajudava a corrigir textos na revisão, onde passou a trabalhar um ano depois, assim que surgiu uma vaga. Morava numa pensão perto do jornal, na Ladeira dos Aflitos e, por isso, ficava até tarde depois do seu expediente, recebendo notícias por telefone na redação, anotando a previsão do tempo, buscando fotos no arquivo, treinando datilografia numa das máquinas de escrever e vivendo intensamente todo aquele ambiente frenético e barulhento. Tomou coragem e pediu ao editor-chefe para ser repórter policial, estabelecendo uma condição: se em um mês não desse certo, voltaria para a revisão. Rafael Teixeira gostava do garoto e gostou da proposta.

10

Marcílio foi o primeiro a acordar no apartamento de Vânia. Tomou banho, vestiu-se, foi à cozinha e bebeu um copo de leite gelado. Desceu pelo elevador e foi à banca de revista localizada a uma quadra, muito próxima à casa dos pais no bairro da Graça. Viu, primeiramente, em destaque na lateral da banca, o *Diário da Tarde*, que circulou naquele domingo em edição extraordinária. A manchete sustentava a matéria do dia anterior que dava o "furo" sobre o autor dos assassinatos, só que dessa vez com as fotos das vítimas, da família, do bilhete e das armas. O alívio de Marcílio durou pouco. O *Jornal da Bahia* estava exposto na outra lateral da banca, com uma manchete que contestava a versão precipitada do delegado Carvalho. Tremeu da cabeça aos pés. Comprou um exemplar de cada jornal e sentou-se no banco de uma praça próxima para ler. Abriu primeiro o caderno policial do matutino. Ficou pálido ao ver os trechos do diário do irmão. O título da capa era — para ele — devastador: "Assassino da família Moura Maia ainda é mistério". E na página interna, o estrago era ainda maior: "Bilhete do 'suicida' foi forjado". E lá estavam, lado a lado, o bilhete e trechos do diário de João, com caligrafias diferentes.

O delegado Paulo Carvalho acordou com o telefone tocando ao lado da cama. Levantou-se assustado. Era o secretário de Segurança, aos gritos, dizendo que ele cometeu "a maior merda da sua carreira".

— Você já viu os jornais de hoje? O "homem" vai ligar daqui a pouco e vai querer comer os meus bagos por causa da cagada que você fez. Puta que pariu, Carvalho, onde é que você estava com a cabeça para praticamente concluir o caso sem ter certeza do que estava falando? Você parece delegado de cidadezinha do interior, caralho!

— Calma, secretário! Não tem como não ser o rapaz. Ele era esquizofrênico, os outros dois irmãos dormiram fora, nada foi roubado na casa e, ainda por cima, tem o bilhete do assassino.

— Pois aí é que você se ferrou, porra! O bilhete é falso, foi plantado no bolso dele. Aquele jornal de filhos da puta publicou o diário do maluco e as letras não batem.

Paulo Carvalho perdeu a voz. Pediu tempo ao secretário para ler o *Jornal da Bahia* e disse que em uma hora estaria na delegacia. Desligou o telefone e pediu ao porteiro do prédio para colocar os seus jornais no elevador. Desesperou-se com o que viu, não acreditou no que leu. E deixou escapar:

— Me fodi!

Chegou à delegacia e teve que enfrentar o mau humor dos repórteres pelo furo que levaram do *Jornal da Bahia*. O jornalista do *Diário da Tarde*, que havia tido o seu dia de glória no sábado, informando antes dos outros veículos que o crime estava praticamente solucionado, era o mais irritado.

— Que sacanagem, delegado! Como é que o senhor explica o vazamento de uma prova como aquela? Quem foi que entregou? Como é que a polícia não achou aquele caderno? De quem é a responsabilidade?

O delegado Paulo Carvalho, tenso, insistiu que nada ainda comprovava que o caderno era de João Moura Maia e que entraria com uma ordem judicial para que o *Jornal da*

Bahia o devolvesse, uma vez que "foi conseguido de forma ilegal, subreptícia, mediante subtração de prova da cena do crime". E foi mais longe:

— A Procuradoria do Estado vai dar entrada amanhã numa ação de queixa-crime contra o jornal e os jornalistas que assinaram a matéria. Vamos processá-los.

Alberto Holanda sabia perfeitamente que tudo aquilo era bravata do delegado para ganhar tempo e que não daria em nada. Mal conseguia disfarçar a satisfação com a irritação do colega concorrente e a trapalhada da polícia.

Carvalho pediu licença e disse que falaria mais tarde, após tomar os depoimentos dos familiares, marcado para as 10 da manhã. Passou por Holanda e, sem olhar para ele, pediu que o acompanhasse até a sua sala. Queria saber como ele havia conseguido o caderno. Os outros repórteres protestaram, mesmo sabendo que o delegado, dali para a frente, não facilitaria as coisas para o jornal que o havia colocado em maus lençóis.

— Porra, Alberto, como é que você faz uma sacanagem dessas comigo? Antes de publicar aquela merda você tinha que ter falado comigo. Eu sempre fui seu amigo. O que você fez pode custar a minha carreira. Agora me diga, como é que você conseguiu a porra daquele caderno?

— Desculpe delegado, essa informação eu não posso lhe dar, é segredo profissional. Mas o caderno está aqui, o senhor não precisa pedir judicialmente. Eu sei que o senhor é um homem sério, mas não fomos nós que erramos. Eu apenas procurei fazer o meu trabalho direito. Sinto muito. O mais importante de tudo é que eu tenho certeza que o senhor, a partir dessa prova irrefutável, vai chegar muito rapidamente ao verdadeiro assassino.

Alberto Holanda levantou-se e saiu da sala do delegado que, ainda mais irritado, pediu uma ligação para a Polícia Técnica. Queria falar com Jorge Bernardo.

— Como é que você, Jorge, com a experiência que você tem, deixou escapar um furo desses? Você me disse que vasculhou os quartos, especialmente o do rapaz, por isso eu não entendo como é que não achou aquele maldito caderno.

— Realmente, delegado, eu não tenho desculpa. Não sei como explicar, só pode ter sido o cansaço do plantão. Eu também errei feio.

Paulo Carvalho pediu um café ao carcereiro e, após o primeiro gole, recebeu ligação do assessor de imprensa da Secretaria de Segurança convocando-o para uma reunião às 3 da tarde na casa do secretário. O delegado sabia que o seu inferno estava apenas começando.

11

O advogado Nelson Wright representava os interesses de Fernando Moura Maia havia quinze anos. Eram amigos. Filho de ingleses, Wright era professor catedrático da Faculdade de Direito da Universidade Federal da Bahia e titular de um dos mais famosos escritórios de advocacia de Salvador, com vários clientes de sobrenome poderoso e tradicional. Seu porte alto e atlético, olhos azuis e gestos suaves não deixavam dúvidas sobre suas origens britânicas. Ele chegou ao apartamento de Vânia pontualmente às 9 horas. Havia acompanhado o noticiário do dia anterior sobre a morte do amigo e de parte da família e estava bastante abalado. Por volta das 10 da noite de sábado, recebeu a ligação de Vânia, pedindo que ele os acompanhasse no dia seguinte para prestar depoimento na Delegacia de Homicídios. O advogado prontificou-se de imediato.

Nelson Wright, na verdade, conhecia bem o perfil de cada um dos filhos de Fernando. Conhecia o drama da família com o filho esquizofrênico e a filha com síndrome de Down. Sabia que Marcílio foi uma criança que viveu isolada nos cantos da casa e transformou-se num jovem introspectivo. O pai imaginava que se ele continuasse daquele jeito, lhe daria muito trabalho ao longo da vida. Vânia, a filha mais velha, tinha então vinte e sete anos, sempre foi uma jovem aparentemente feliz e recebia algumas atenções do pai, que identificava nela as irmãs deixadas para trás em Portugal. Nei estudava em colégio de padres e passou de primeira no vestibular de direito. Era um aluno aplicado, tirava boas notas, o orgulho da família e o preferido do pai.

No dia seguinte, ao abrir o *Jornal da Bahia*, o advogado viu a extensão do problema e mudou completamente de opinião sobre a autoria do crime. Sua experiência, embora não fosse advogado criminal, lhe dizia que o criminoso era outra pessoa, certamente da família e muito provavelmente um dos outros dois filhos. E foi mais longe em sua especulação, atribuindo o motivo do crime à ambição pela herança de Fernando Moura Maia.

Vânia o recebeu chorando. Ele a abraçou, cumprimentou formalmente os outros, sentou-se numa poltrona diante de todos e foi incisivo:

— Eu queria dizer, antes de mais nada, que sinto muito por toda essa desgraça que se abateu sobre a família de vocês. Além de advogado, era amigo de Fernando, vocês sabem disso. Não vou fazer rodeios, mas acredito que todos tenham lido os jornais de hoje, especialmente o *Jornal da Bahia*, que apresentou uma prova que muda completamente o rumo do caso. O assassino, portanto, não foi o irmão de vocês que também foi vítima nessa tragédia. O assassino não é nenhum agente externo, alguém que entrou na casa para roubar, foi surpreendido e matou a todos para não deixar testemunhas e ser descoberto. Sabemos perfeitamente disso, até porque nada foi roubado. Sabemos também que não foi crime de vingança, porque Fernando era um homem que não tinha desafetos, nem dívidas. O assassino, infelizmente, está nesta sala e é um de vocês dois.

Vânia, mais uma vez, desabou a chorar. Momentos antes, o marido havia se trancado com ela no quarto e abordado o assunto, mostrando um exemplar do *Jornal da Bahia*, que a empregada havia trazido da rua. Marcílio saiu e voltou de mãos vazias. Guilherme estranhou o "desinteresse" dele pelo que os jornais publicaram sobre os crimes. Depois de tudo o que aconteceu aquele comportamento não era natural. Guilherme, já sabendo da nova versão, perguntou se ele havia saído para comprar os jornais, o que seria muito natural. Ele negou. Disse apenas que deu uma volta para espairecer, desculpa que só fez aumentar as suspeitas do marido de Vânia. Marcílio não suspeitava que o cunhado já sabia de tudo.

O silêncio tomou conta da sala. Nei olhou para Marcílio esperando que ele falasse alguma coisa que desse sentido à acusação do advogado. A inocência de Nei era flagrante. O irmão manteve-se de cabeça baixa. Nei tomou a iniciativa, dirigiu-se ao advogado e, com a sinceridade de quem não tem nada a temer, disse que passou a noite inteira num motel com a namorada e fez amor pelo menos até as 5 da manhã, versão que poderia ser confirmada por Amélia. Emocionado, ele explodiu.

— Doutor, não fui eu. Pela alma da minha mãe, não fui eu! Vânia, minha irmã, pelo amor de Deus, acredite em mim!

Vânia olhou para o irmão piedosamente, balançou a cabeça suavemente de forma afirmativa, acreditando no que ele dizia e recolheu o rosto entre as mãos, curvando-se para apoiar os cotovelos sobre os joelhos.

Sobrou Marcílio. Mas ele também negou. Falou de cabeça baixa, sem firmeza no que dizia, evitando o olhar das pessoas que estavam na sala, num comportamento típico de quem tenta esconder alguma coisa e não consegue sustentar o que diz. Contou uma história parecida. Afirmou que passou a noite na casa da namorada, fez sexo, dormiu e que só acordou às 8h30 da manhã, com o irmão tocando o interfone. Disse não lembrar-se da hora exata em que dormiu. A namorada também poderia confirmar tal versão.

— Eu é que não fui, doutor — disse, sem convencer.

O dr. Wright levantou-se e parou atrás de Marcílio, colocando as duas mãos sobre os seus ombros e reclinando o rosto para falar próximo a ele. Sem ainda acusá-lo de forma direta, aconselhou que o melhor para todos, àquela altura dos acontecimentos, principalmente para o autor daqueles crimes, seria trazer a verdade à tona. Em tom grave, o advogado afirmou que mais cedo ou mais tarde — aliás, em questão de horas — quando a perícia apresentar suas conclusões, a polícia vai desvendar tudo e, inexoravelmente, chegará ao culpado. Marcílio levantou-se abruptamente da poltrona e, possesso, gritou:

— O senhor não está pensando que fui eu, está?

O advogado respondeu sem titubear:

— Estou. Tenho a mais absoluta certeza de que você matou friamente quase toda a sua família. Premeditou e planejou tudo, mas cometeu erros primários e o primeiro deles, certamente, foi forjar um bilhete, imaginando que todos acreditariam na versão do filho esquizofrênico que teve um acesso de loucura, tornou-se violento e saiu matando todos que via pela frente. E você matou por ambição, por ganância, o que torna os seus crimes ainda mais hediondos.

Descontrolado, Marcílio insistia em desacreditar a versão do jornal. Contestava a evidência de que o bilhete encontrado no bolso de João era uma farsa, com argumentos simplistas e passionais.

— Espere aí, o senhor não sabe o que está falando. Vocês não podem acreditar na versão desse jornal sensacionalista. O delegado foi muito claro. João matou e depois se suicidou, o bilhete dele dizia tudo e pronto. Todo mundo sabia que ele era um louco e que papai não suportava ele. Vocês são testemunhas do desprezo que papai tinha por ele e por Mariá, que ele vivia chamando de retardada. João tinha todos os motivos do mundo para matá-lo. Será que vocês não percebem isso?

O discurso sobre o comportamento de Fernando Moura Maia em relação aos filhos com problemas mentais, longe de convencer o advogado e os outros familiares, só reforçava a suspeita de todos. Refutando os argumentos de Marcílio em relação ao delegado, o advogado disse que ele se precipitou diante das primeiras evidências e certamente sofreria consequências políticas e administrativas pela bobagem que fez. E acrescentou:

— Essa é apenas a primeira evidência de que você passou muito longe de cometer o crime perfeito. Não tenho dúvidas de que a polícia já descobriu muito mais coisas e aí vai ser ainda pior para você. Portanto, o melhor é falar agora, para que possamos tomar as providências jurídicas necessárias.

Marcílio não cedeu às pressões do doutor Wright e sustentou o quanto pôde que era inocente e que sua namorada poderia confirmar que ele dormia na casa dela na hora em que ocorreram os assassinatos.

O advogado aliviou a pressão e sugeriu que pediria um prazo de 24 horas ao delegado para a família depor. Ligou para a delegacia e argumentou com Carvalho que todos estavam muito transtornados e que o melhor seria ouvi-los após o enterro coletivo, marcado para o dia seguinte. Ademais, a família precisava tomar as providências para o velório. Portanto, seria de bom alvitre adiar os depoimentos. Meio a contragosto, Carvalho concordou. Marcílio respirou aliviado, pelo menos por enquanto. O delegado chamou os jornalistas que estavam de plantão na porta da delegacia e comunicou o adiamento. De certa forma, ele também ganharia tempo até receber os laudos periciais e da necropsia.

12

O delegado Paulo Carvalho comeu um sanduíche rápido na delegacia e seguiu numa viatura para a casa do secretário de Segurança no Caminho das Árvores, o novo bairro de Salvador, totalmente planejado, formado exclusivamente de casas luxuosas e modernas para abrigar uma nova classe média alta endinheirada que começava a surgir na Bahia. Chegou exatamente às 3 da tarde, conforme havia sido convocado. O empregado abriu a porta e o levou até a área da piscina, onde foi recebido pelo secretário que, apesar da bermuda e camiseta que vestia, não estava de cara boa e o cumprimentou formalmente. De terno branco de linho, que sempre usava aos domingos, camisa vermelha e gravata laranja, Paulo Carvalho sentiu-se ainda mais desconfortável, porque imaginava que teria que dar as explicações que ainda não tinha. O assessor de imprensa da Secretaria, com um copo de uísque na mão, foi quem deu a primeira estocada, em tom sarcástico:

— Que merda, hein, Carvalho! Se você tivesse um bom assessor de imprensa, com certeza você não teria entrado nessa fria...

O secretário fez um gesto com a mão censurando o assessor, que se recolheu à sua insignificância e não abriu mais a boca. Começou o sermão elogiando a carreira do delegado e que, por isso mesmo, não entendia como ele cometeu um equívoco tão primário. Carvalho ameaçou falar, mas o secretário não permitiu.

— Por favor, você vai me ouvir. Até porque eu consegui salvar a sua cabeça hoje.

Prosseguiu relatando que esteve no palácio com o governador durante duas horas e o demovera da ideia de afastá-lo do caso e da titularidade da delegacia. Carvalho agradeceu, humildemente. O secretário apresentou o preço:

— Você sabe que essa briga do governador com o *Jornal da Bahia* é uma queda de braço de vida ou morte e ele, de maneira alguma, quer que o jornal ganhe essa parada.

O secretário levantou-se, curvou-se por trás do delegado e, sem o menor escrúpulo, ordenou ao seu ouvido:

— Carvalho, meu querido, esse rapaz que se matou e deixou o bilhete, tem que ser o assassino de qualquer maneira. Esse diário que o *Jornal da Bahia* mostrou tem que ser fajuto. Não quero surpresas. Aliás, eu não, o governador.

— Mas, secretário, o que o senhor está me pedindo é impossível, é de uma ilegalidade sem tamanho. Eu sei que me precipitei, cometi um erro, mas não posso fazer isso de maneira alguma.

O secretário irritou-se com a resistência do delegado e foi ainda mais direto:

— Carvalho, você não está entendendo. Isso não é um pedido, isso é uma ordem que, aliás, não é minha, é do governador. O que está em jogo é o nome de uma família influente e, sobretudo, a questão dele com o *Jornal da Bahia.* E ordem do homem, você sabe muito bem, a gente não discute, cumpre.

Carvalho se manteve irredutível.

O secretário subiu o tom. Ameaçou demiti-lo e afastá-lo do cargo sumariamente se não acatasse a ordem. O delegado lembrou ao secretário que, diferentemente dele, era concursado e que governador nenhum poderia demiti-lo, a não ser por crime de prevaricação ou improbidade, opções descartadas pela folha limpa que tinha no serviço público.

— Mas eu posso tirá-lo do cargo da mais importante delegacia de polícia de Salvador e transferi-lo para um distrito policial no cu do mundo, na puta que o pariu.

Carvalho manteve a calma, levantou-se e devolveu a ameaça:

— Pois faça isso, secretário. Não tenho dúvida que o pessoal do *Jornal da Bahia* vai dar um bom espaço, com manchete de primeira página e tudo, quando eu denunciar a proposta indecente que o senhor acabou de me fazer e, por não aceitá-la, fui destituído do caso, do cargo e transferido para o "cu do mundo", como o senhor mesmo disse. Fique sabendo que eu prefiro ir à "puta que o pariu" a ter que compactuar com essa imundície.

E o secretário aos gritos:

— O senhor não pode falar comigo dessa maneira. Eu sou seu superior. Eu sou o secretário de Segurança Pública do Estado da Bahia e o senhor está na minha casa.

E o delegado apelou feio, antes de se retirar:

— Casa, aliás, que eu sei muito bem como o senhor conseguiu dinheiro para comprá-la. Ou o senhor por acaso acha que eu não sei das suas negociatas e tramoias com o jogo do bicho? Não se esqueça que eu sou um delegado de polícia.

E finalizou a conversa:

— Quer saber de uma coisa, secretário: vá à merda e enfie a ordem do governador no cu!

De volta à delegacia, Carvalho tinha os peritos Jorge Bernardo e Aguinaldo Correia aguardando-o em sua sala. Jorge colocou em sua mesa uma caixa repleta de cadernos semelhantes ao que foi publicado pelo *Jornal da Bahia*. O perito tinha vasculhado a casa durante toda a manhã e encontrou os escritos no porão, no fundo de uma gaveta, com a fechadura arrombada. Além disso, descobriu o fundo falso no piso do porão, onde encontrou duas caixas de munição e provavelmente o local em que as armas ficaram escondidas. Encontrou ainda resquícios de cocaína sobre um pequeno pedaço de vidro. Aguinaldo, por sua vez, trazia os resultados dos exames datiloscópicos, que confirmavam as digitais de João no rifle e no revólver e as digitais de Marcílio no pote com maconha e cocaína. Mas o melhor veio em seguida. As impressões no bilhete não eram do "suicida". Carvalho exultou com a revelação.

— Fala logo, cara! De quem são?

Eram de Marcílio, que também deixou as suas marcas na maçaneta da porta do casal.

— Filho da puta! — explodiu o delegado. — E ainda por cima me vem o sacana do secretário querendo que eu sustente a merda que eu fiz.

— Como, delegado? — quis saber Jorge Bernardo.

— Deixa pra lá, garoto. É briga de cachorro grande.

O perito de campo abriu a caderneta de anotações e mostrou ao delegado que o autor dos tiros possuía a arma havia algum tempo e que sabia manejá-la muito bem. O exame de balística comprovou que ele disparou o rifle outras vezes. João vivia praticamente recluso em casa, raríssimas vezes saía e quando o fazia era acompanhado pelo motorista Afrânio, que o levava ao consultório do psiquiatra ou à barbearia para cortar o cabelo. Adquirir uma arma sofisticada e cara como aquela, que só se encontra em loja especializada, exigiria mobilidade e dinheiro. E isso João Moura Maia certamente não tinha.

— Amanhã, eu vou à Colt 45, a única loja que vende esse tipo de arma aqui em Salvador, pra tirar isso a limpo.

Jorge esclareceu que a arma, para sair da loja, teria que ser registrada na Polícia. E o foi. Ele checou. Só que o registro estava em nome de João Moura Maia, Identidade número 452686.

— Como é que pode? — questionou o delegado, intrigado.

— Simples — conjecturou o perito. — Olha só a foto da carteira de identidade de João. Como a foto é antiga, aqui ele é muito parecido com Marcílio.

— É isso, ele comprou a arma se passando pelo irmão. Deu o nome e a identidade de João ao vendedor, que não notou a diferença porque estava apenas interessado em fazer a venda. E na seção de registro de armas de fogo da Secretaria, algum funcionário imbecil liberou o documento de porte sem conferir, porque os dados de quem comprou a arma foram fornecidos pela loja e não pelo comprador.

Jorge Bernardo prosseguiu:

— E tem mais, doutor. Ontem, conversando com o motorista na cozinha, ele me disse que iria levar o doutor Fernando para a fazenda na manhã do crime e que Marcílio era o único filho que, de vez em quando, o acompanhava ou ia sozinho com ele nessas viagens. Numa das vezes em que o pai não viajou, ele levou a namorada nova, uma moça mais velha que ele uns dez ou doze anos. Ela, talvez, possa ter visto Marcílio atirando com o rifle nessa fazenda, o único lugar onde ele teria área e privacidade para testar a arma.

— Pode ser, pode ser... A gente precisa mesmo falar com ela sobre o álibi dele. Vamos trazer essa vagabunda amanhã aqui para prestar depoimento — determinou o delegado.

Jorge Bernardo tinha outras duas revelações que reforçavam ainda mais as suspeitas sobre Marcílio. Passou a palavra para o perito datiloscopista, que também era especializado em grafologia.

— Explica aí, Aguinaldo.

— Veja só doutor, o tipo de inclinação da letra do diário publicado no jornal é de alguém que escreve com a mão esquerda. Ou seja, o João era canhoto, tenho quase certeza disso. Essa informação pode ser facilmente checada com alguém da família. O bilhete foi escrito por um destro.

O delegado questionou:

— E daí?

O perito retirou algumas fotos de um envelope e prosseguiu:

— Veja estas fotos aqui, doutor. O tiro de revólver foi dado do lado direito da cabeça e a arma está em sua mão direita. Isso faria sentido se ele realmente fosse destro. Ninguém muda de mão para escrever, beber um copo-d'água ou atirar uma pedra, concorda, doutor? Imagine se trocaria de mão exatamente na hora de dar um tiro na cabeça para se matar! Entendeu agora?

— Perfeitamente. Isso está parecendo até o jogo dos sete erros.

Quem deu o tiro e plantou a arma na mão de João para simular o suicídio certamente não considerou esse detalhe.

— Vocês dois são foda, são bons pra caralho! — elogiou Paulo Carvalho.

Jorge Bernardo surpreendeu o delegado mais uma vez. Retirou outra foto do envelope, que mostrava os pés descalços de João em plano fechado.

— Calma, doutor! Tem mais.

— Quando entramos para periciar o corpo e a cena do crime no quarto de João, a primeira coisa que eu e a doutora Cristiane observamos foi que não havia nenhum vestígio de sangue nos pés dele, nem uma gotinha. Ela ainda brincou dando um tapinha no pé do morto e dizendo que achava muito estranho alguém que não queria esconder que era o assassino, tomar um cuidado excessivo para não se sujar com o sangue.

Não fazia sentido. Certamente aquele seria o comportamento de um assassino que não queria deixar pista, jamais de um assassino-suicida.

13

Já era começo da noite daquele domingo. Torcedores do Bahia passavam em bando pela porta da delegacia, que ficava próxima ao estádio, tremulando bandeiras e alegria, festejando a goleada de 4 a 0 aplicada no Vitória, seu maior rival e time do delegado Carvalho, que deduziu pelas cores de quem fazia a algazarra que o resultado tinha sido desfavorável. A doutora Cristiane Betini chegou ao gabinete do delegado junto com a barulheira dos torcedores. Trazia numa pasta alguns dados parciais sobre os exames da necropsia. Os três levantaram-se para cumprimentá-la num movimento quase sincronizado. Percorreram o olhar de cima a baixo sobre aquele corpo que exalava um perfume suave e transpirava sensualidade. Dessa vez, sem o indefectível jaleco branco.

— Nossa, gente! Assim eu fico sem graça. Até parece que vocês nunca viram uma mulher um pouco mais arrumada. Depois daqui, vou dar uma relaxada.

— Desculpe, doutora. Linda desse jeito, com certeza, não.

Todos riram. Cristiane estava deslumbrante, vestida de calça *jeans*, blusa de seda, um pequeno casaco branco e *scarpin* de saltos altíssimos. Havia combinado encontrar-se com o namorado, o jornalista Rafael Teixeira, depois da reunião. Iriam ao cinema, jantariam no melhor restaurante francês da cidade e, certamente, fechariam a noite fazendo amor no apartamento dela.

— Tenho novidades, delegado.

— Que bom, doutora! O que é que a senhora tem aí nessa pasta? Quem sabe assim eu me redimo e sigo à risca as recomendações do editorial de hoje escrito por seu namorado, que praticamente me crucificou, e com razão, depois daquela minha declaração precipitada e infeliz.

— Nunca é tarde para consertar um erro, doutor Carvalho. Isso acontece com os melhores policiais da Scotland Yard. Rafael sabe que, acima de tudo, o senhor é um homem sério. Errar, todo mundo erra, não é verdade?

Após fazer a sua *mea-culpa,* o delegado revelou à legista o que Aguinaldo e Jorge Bernardo descobriram. Só faltava o relatório da autópsia para ele fechar o círculo e não deixar brechas para dúvidas sobre o verdadeiro assassino. A médica trazia relatórios parciais das autópsias, sem novidade em relação ao casal e dona Laura, e precisaria de mais dois dias para concluir o trabalho. Quanto à autópsia do corpo de João, tinha uma informação das mais interessantes. As vísceras analisadas não apresentavam nenhum vestígio de cocaína ou maconha. Só dos remédios que tomava regularmente.

— Portanto, delegado — acrescentou a legista —, o papelote de cocaína e o potinho com maconha que Jorge Bernardo encontrou no quarto de João não pertenciam a ele. Só pode ser do outro irmão que dormia no mesmo cômodo.

Antes de terminar a reunião com a médica e os peritos, doutor Carvalho pediu sigilo sobre todas aquelas informações, afirmando que só seriam reveladas após a tomada de depoimento dos três irmãos e que Marcílio seria o último a ser ouvido. Todos concordaram. Cristiane Betini, imaginando que o delegado poderia ter algum tipo de dúvida sobre a sua conduta ética, em função do seu relacionamento com o editor do *Jornal da Bahia*, levantou-se e dirigiu-se ao delegado para reafirmar seus princípios. Na noite anterior, após liberar a cena do crime, ela ligou para Rafael Teixeira para dizer que o jornal concorrente havia errado feio com base no equívoco cometido pelo delegado.

— Doutor Carvalho, eu queria que o senhor soubesse que eu, pela primeira vez desde que comecei a me relacionar com Rafael, comentei meu trabalho com ele. Fiquei indignada como o *Diário da Tarde* abordou o crime. Desculpe, mas o senhor teve uma parcela de culpa nisso e vejo que reconheceu o seu erro e corrigiu o rumo das coisas. A iniciativa foi minha, que fique claro. Não tenho nada a ver com a publicação do conteúdo daquele caderno e não faço ideia como ele chegou até o jornal. O senhor pode ter a mais absoluta certeza de que não misturo o meu trabalho com o relacionamento que tenho com o Rafael. Esse é um acordo tácito nosso desde o primeiro dia que começamos a namorar. Ele é um homem extraordinário e um cara sério, como o senhor. Nunca se utilizou da minha posição como médica legista para obter informação privilegiada sobre qualquer caso policial de interesse jornalístico no qual eu estivesse trabalhando.

— Fique tranquila, doutora, conheço a senhora, respeito o seu trabalho e nunca pus em dúvida a correção do seu caráter. Tenho plena confiança na senhora. Pode ir namorar tranquila.

A doutora Cristiane apertou a mão do delegado e dos outros dois policiais e comentou antes de retirar-se da sala:

— Peço licença para deixar um pouco de lado o mundo misterioso dos mortos, porque a vida lá fora me espera. Até porque, o meu Bahia deixou hoje o seu Vitória literalmente de quatro e também merece ser celebrado.

14

Os corpos foram liberados pelo IML no final da tarde de domingo. Guilherme foi incumbido de tomar as providências para o enterro. Ligou para a casa do espanhol Manolo Hernandez, amigo da família e dono de uma rede de funerárias, e pediu ajuda. Queria tudo de primeira classe: o embalsamento dos corpos e um funcionário para providenciar os atestados de óbito e marcar horário para o enterro no Cemitério do Campo Santo, onde a família possuía um jazigo perpétuo, ainda inédito. Afrânio conduziu Vânia e o marido à rua Dallas, onde foram buscar mudas de roupas para vestir os mortos. Nalva foi junto. Voltar à casa foi um momento muito doloroso para ela. Guilherme a amparou, abraçando-a. Ela pegou o vestido de que a mãe mais gostava e a única roupa de sair da avó, além do xale que dona Laura usava sempre. Guilherme escolheu um terno preto, camisa, gravata e sapatos para Fernando Moura. João seria enterrado de calça *jeans*, camiseta e tênis. De lá seguiram para o Instituto Médico-Legal. Aguardaram por cerca de três horas enquanto funcionários do IML embalsamavam os corpos para vesti-los. Já passara da hora de serem sepultados. Afrânio e Guilherme entraram primeiro no salão onde ficavam os gavetões resfriados com os cadáveres. O corpo de João, sobre a mesa de mármore branco, foi vestido pelo motorista, enquanto Guilherme vestia Fernando Moura Maia. Os corpos foram colocados em caixões de luxo — os mais caros da funerária de Manolo Hernandez. Vânia entrou logo depois junto com a empregada. Não queria que nenhum homem tocasse nos corpos da mãe e da avó. Ao vê-los sobre a pedra fria de mármore, entrou em crise.

— Eu não vou conseguir, Nalva. Eu não vou conseguir... Como é que ele pôde fazer essa barbaridade...

O "ele" a que se referia não era João que, para Vânia, agora não restava mais dúvida, também tinha sido vítima da crueldade de Marcílio, apesar de ele insistir com sua versão de inocência cada vez mais frágil. Vânia viu a mentira estampada nos olhos dele quando foi pressionado pelo dr. Nelson Wright. Nalva percebeu que a patroa não teria condições de vestir as duas senhoras. Estava além das suas forças. Ela faria o serviço sozinha.

Os corpos foram transferidos para o cemitério onde seriam velados a partir daquela noite. A funerária também providenciou a publicação dos anúncios fúnebres nos jornais, comunicando local e horário do enterro, marcado para as 11 horas da segunda-feira. Providência desnecessária, uma vez que a informação foi amplamente divulgada por todos os veículos de comunicação da cidade.

Coroas de flores começaram a chegar naquele noite de domingo com cartões de pêsames e remetentes de peso. Era a solidariedade dos ricos manifestada. Os pobres, centenas deles, marcavam presença pessoalmente, não para externar sentimentos, mas para saciar a curiosidade. Queriam ver os mortos e também os vivos que sobraram da chacina. Não viram os mortos, porque os caixões estavam fechados. Não perceberam os vivos, porque Guilherme, Vânia, Afrânio e Nalva permaneceram pouco tempo no velório, o suficiente para chorar discreta e silenciosamente. Nei e Marcílio só apareceriam em público, no dia seguinte, na hora do enterro.

Nei foi ao encontro de Amélia, buscar colo e carinho. Conheceram-se na faculdade de direito e namoravam há menos de um mês. Pela primeira vez, ele tinha contato com os pais dela, que o convidaram para jantar e passar a noite — em quartos separados, é claro — mesmo sabendo que na noite dos crimes eles dormiram juntos. Amélia tinha vinte anos, dois a menos que Nei. Era bonita e espirituosa. Fez um esforço, assim como os pais, para não falar sobre a tragédia, principalmente à mesa durante o jantar.

Marcílio foi para a casa de Íris. Antes, fez contato com o traficante e adquiriu cinco gramas de cocaína. Sua cabeça era um turbilhão prestes a explodir com a possibilidade, cada vez mais próxima, de ser desmascarado. Íris estava só de calcinha e blusa, queria que Marcílio relaxasse, transando. Abraçou-o na chegada e percebeu de imediato a diferença de comportamento do namorado. Aquele rapaz, magro, alto e tímido parecia uma fera com os olhos crispados pela droga e pelo pavor de passar o resto da vida na cadeia. Fez-se de vítima, a princípio. Disse que se estivesse em casa certamente seria o primeiro a ser assassinado pelo irmão, porque dividia o quarto com ele. Íris pareceu acreditar. Disse que tinha bronca do pai, mas que jamais o mataria. Disse que estava sofrendo pela morte da mãe, apesar da sua passividade diante da maneira rude e do desprezo que o pai nutria por ele, por João e pela pequena Mariá. Amargo, revelou que não derramaria uma lágrima sequer pelo pai. Íris o confortou e disparou o veneno:

— Tudo isso vai passar, meu amor. Você não tem culpa nenhuma. Eu também sinto muito por sua mãe, que devia ser uma mulher muito boa. Vamos ficar juntos, eu não vou deixar você. Vamos ter uma família e aí você vai ter a oportunidade de ser o pai que seu pai não conseguiu ser.

Marcílio estirou algumas fileiras sobre a mesa e cheirou até o seu nariz aquilino sangrar. Íris recusou. Preferiu acender um baseado. Fazendo-se despretensiosa, ela quis saber sobre as últimas notícias que colocavam em dúvida a autoria do crime por parte de João e ele ficou ainda mais afetado.

— Aquilo só pode ser coisa de Nei e daquele advogado filho da puta. Eles vão tentar de tudo para botar a culpa em mim, para me deixar de fora do testamento. Na noite do crime eu estava aqui com você ou não estava? Se a polícia chamar você para depor, você vai ter que confirmar. Vai dizer que a gente passou a noite inteira fodendo. Porque senão quem vai se foder sou eu. E Nei e Vânia vão ficar com tudo.

Íris acendeu o "baseado" e o sinal amarelo. A reação de Marcílio ao seu comentário sobre a matéria do jornal que colocava em dúvida a autoria da chacina a fez pensar no pior e abriu uma janela de desconfiança. Enquanto ele cheirava, ela perguntou, agora sem o tratamento dissimulado de mulher dócil e apaixonada que vinha dispensando até então:

— Pare de cheirar essa merda e olhe pra mim. Me responda: sexta-feira à noite você saiu de casa enquanto eu dormia, não foi?

Ele, cada vez mais irritado, pediu para ela parar com as perguntas.

— Para, porra! Não enche. Já estou de saco cheio com tantas perguntas. Até você!

— "Até você" por quê? Tem mais gente que está achando a mesma coisa? Me diga: você saiu ou não saiu naquela madrugada enquanto eu dormia e depois voltou?

Marcílio não conseguia negar e buscava tangentes para fugir da pressão de Íris.

— Pare com isso. O que é que isso interessa agora? Você só tem que confirmar que eu passei a noite inteira aqui, que a gente fodeu até o dia nascer e pronto. Vai dar tudo certo. Eles não vão ter como provar nada.

Tentou trazê-la para perto de si e ela o rejeitou. A ficha havia caído. Aos gritos, Íris passou a esmurrá-lo no peito:

— Você é um monstro! Seu filho da puta assassino, eu vou contar tudo para a polícia, que você não ficou comigo à noite toda porra nenhuma. Saia da minha casa!

Marcílio ameaçou:

— Se você fizer a besteira de me entregar e não confirmar a minha história, eu vou dizer que fiz tudo isso combinado com você. Que foi você quem arquitetou todo o plano para matar o meu pai, matar o meu irmão e jogar a culpa nele para eu herdar a grana e a gente se casar. Tenho certeza de que eles vão acreditar e aí, neném, você também vai apodrecer na cadeia.

Marcílio saiu batendo a porta com força, enquanto Íris ficou em casa destilando o ódio e o medo que tomaram conta de todos os seus músculos. Ele foi para o centro da cidade e entrou num bar de esquina, onde ninguém o conhecia. Pediu Campari, não tinha. Pediu então uma dose de conhaque, que tomou de um gole. Bebeu mais duas doses e saiu. Hospedou-se num hotel barato. Não queria voltar para a casa de Vânia, onde tinha certeza de que todos já sabiam que ele era o assassino. Passou a noite cheirando cocaína. Não dormiu. Esperou o quanto pôde e só chegou ao cemitério na hora do enterro.

15

O dr. Nelson Wright ligou às 7h30 da manhã de segunda-feira para a casa do delegado Paulo Carvalho, que já havia acordado. Tinha urgência em conversar com ele antes que fosse para a delegacia e longe dos olhos dos repórteres. Carvalho mostrou surpresa com o interlocutor do outro lado da linha e aceitou recebê-lo em sua casa.

— Doutor Carvalho, bom-dia. Antes de mais nada, queira me desculpar por importuná-lo a essa hora da manhã, espero que não o tenha acordado, mas preciso conversar com o senhor longe dos holofotes da imprensa, aí na sua casa. É possível?

— Venha agora, dr. Wright. Será um prazer. Tomaremos um café juntos.

O advogado chegou à casa do delegado meia hora depois e foi direto ao ponto.

— Eu não tenho dúvida de que o senhor refez completamente a leitura inicial que teve do crime e já sabe quem é o autor. Eu também.

Nelson Wright disse que, como ele, foi dormir no sábado com um culpado e acordou no domingo com outro, após ler a matéria com trechos do diário de João. E relatou o encontro que teve no domingo pela manhã com os outros filhos, a pedido de Vânia, que o queria acompanhando os depoimentos e que cuidasse dos interesses da família durante o inquérito. Wright contou ao delegado que no final daquela reunião não tinha mais dúvida sobre o verdadeiro assassino. Carvalho ouviu tudo atentamente, enquanto servia uma xícara de café ao visitante.

— Foi Marcílio, Carvalho. E creio que você também chegou à mesma conclusão. O álibi de Nei e a maneira sincera como ele se indignou quando eu disse que o culpado estava naquela sala, e era um dos dois irmãos, não deixavam dúvidas.

Os laços profissionais e, sobretudo, a amizade com Fernando Moura Maia fizeram do dr. Nelson um conhecedor razoável do perfil de cada um dos membros daquela família. Vânia sempre foi uma boa filha, aplicada nos estudos, formada em pedagogia e casada havia três anos com um médico cardiologista de muito futuro. Nei sempre foi o maior orgulho do pai, que enchia os olhos de brilho quando falava dele. Preocupava-se com a doença mental de João, porque não sabia como seria a vida dele no futuro, quando não tivesse mais os pais para controlá-lo em casa. Tinha muita reserva ao falar de Mariá, portadora da síndrome de Down, que ele, em sua ignorância de homem de poucos estudos, achava que tinha sido um castigo de Deus e, de certa forma, responsabilizava dona Anita pela gravidez tardia e indesejada. Sobre Marcílio, Fernando Moura Maia só falava de desgostos e decepções. Nunca gostou de estudar, trabalhava forçado numa das lojas, bebia e cometia pequenos furtos no caixa. Muitas vezes se considerou culpado, porque sempre tratou Nei, mais velho dois anos, de forma diferenciada, reservando a ele a maior parte da atenção e do seu carinho de pai.

Ao fazer a revelação, que não era mais novidade para o delegado, o doutor Nelson queria estabelecer uma estratégia para concluir o caso com o menor dano possível para a família. Pediu que ele ouvisse Vânia e Nei no final da tarde daquele dia e que só ouvisse Marcílio no dia seguinte. E justificou:

— Ele também tem um álibi forte, diz que dormiu com a namorada. O senhor precisa derrubar esse álibi. A prova do diário não será suficiente para impedir que ele consiga um *habeas-corpus* à prisão preventiva que sei que o senhor vai pedir. Portanto, essas próximas 24 horas lhe darão tempo para consolidar as provas que o senhor já tem e farão com que ele se sinta falsamente seguro. Os jornais vão brigar para sustentar suas versões sem apresentar maiores novidades e isso vai ser bom para a nossa estratégia.

Paulo Carvalho concordou com o advogado e disse que era mais ou menos isso que estava pretendendo fazer e que já tinha provas mais do que suficientes para incriminar Marcílio. Iria para a delegacia ouvir a namorada dele, "uma tal de Íris de Almeida Andrade, trinta e dois anos, sem profissão definida, e que vive de michê e golpes em homens ricos, alguns bem mais velhos ou mais novos como Marcílio. Depende da oportunidade".

— Não creio que ela aguente a pressão e aí vai abrir o bico e entregar logo o serviço. Sem álibi e com todas as provas que reunimos, botamos o infeliz atrás das grades.

16

A pequena Mariá não parava de repetir a cantilena "Marcílio bum, bum, bum" enquanto Vânia, Guilherme e Nei se vestiam para ir ao enterro. Afrânio chamou Guilherme na cozinha e pediu para ele ouvir o que a garota tentava dizer.

— Doutor Guilherme, a menina viu tudo. Ela viu tudo, por isso está repetindo isso o tempo todo desde sábado e a gente não se tocou. Ela é testemunha. E se ela viu, Santinha também pode ter visto toda aquela barbaridade.

Santinha saiu correndo e chorando para as dependências de empregada do apartamento e se abraçou com Nalva, que lhe pediu calma, dizendo que ela estava segura e que ninguém ia machucá-la. Ao ser inquirida por Guilherme se tinha visto quem fez aquilo, ela assentiu com a cabeça. E se tinha sido Marcílio, ela repetiu o gesto. Ele pediu a Afrânio e Nalva que mantivessem silêncio, pois só depois do enterro relataria a Vânia e Nei o que eles descobriram. Afrânio os levou ao cemitério. O doutor Nelson Wright já os aguardava na capela. A imprensa os cercou na entrada do cemitério. Eles não falaram nada.

O cemitério do Campo Santo estava repleto de curiosos. Havia mais de 2 mil pessoas. Porém, mais do que demonstrar piedade ao que restou daquela família, queriam ser figurantes de um espetáculo mórbido, cuja tragédia rompeu fronteiras e ganhou espaço nos jornais e noticiários do país e do mundo inteiro. Queriam estar o mais próximo possível dos parentes, para aparecer ao lado deles quando fossem registrados pelas câmeras e *flashes* em sua dor. Poucos foram os amigos e pessoas do mesmo nível social dos Moura Maia que compareceram ao enterro para prestar solidariedade sincera. Até porque seus nomes e fotos não sairiam em colunas sociais, mas em páginas policiais, com manchetes escandalosas. O governador mandou uma coroa de flores com mensagem protocolar: "Em meu nome e em nome do povo da Bahia me solidarizo com a dor e as perdas irreparáveis de entes tão queridos". Os burburinhos corriam soltos nos cantos da capela e na parte externa do cemitério entre jazigos com flores de plásticos e fotos de mortos amareladas pelo tempo. As pessoas formaram fila para cumprimentar a família. Circulavam diversas versões desencontradas sobre o crime. Alguns enalteciam a pobreza com a teoria simplista de que "esse tipo de crime só acontece em famílias de ricos", outros vangloriavam o espírito pacífico dos brasileiros dizendo que "isso nunca aconteceu aqui, isso é coisa de americano". Os mais tementes a Deus não perderam a oportunidade de botar a culpa no demônio, "que deve ter tomado conta da alma daquele infeliz".

Guilherme correu os olhos pela capela do Campo Santo procurando Marcílio entre a multidão. Duvidou que ele chegasse, imaginando que poderia ter fugido ao perceber que realmente foi desmascarado. Amélia e seus pais chegaram e ficaram ao lado de Nei. O delegado Paulo Carvalho, acompanhado de dois agentes, foi cumprimentar a família. Também olhou em volta em busca de Marcílio. Não o viu e perguntou a Guilherme por ele.

— Não faço a menor ideia, delegado. Ele não dormiu essa noite lá em casa. Mas tenho uma informação importante para o senhor. Podemos conversar depois que acabar tudo isso aqui?

— Perfeitamente, doutor Guilherme. Estarei à sua disposição.

Marcílio finalmente chegou, pontualmente às 11 da manhã, quando o padre começou a puxar um pai-nosso. Tinha a aparência cansada, os olhos avermelhados, a barba por fazer. Dava a impressão de que passara a noite em claro, chorando a perda da família. Evitou aproximar-se dos irmãos. Postou-se à frente de um dos caixões lacrados, presumindo ser o que guardava o corpo da mãe, pôs as duas mãos com o braço estirado sobre a tampa, curvou a cabeça para baixo e fingiu acompanhar a oração. Ao final, fez o sinal da cruz. O gesto tocou o coração de muitos curiosos, que o olhavam com certa piedade. Era o que ele queria. Nei, Vânia, Guilherme, dr. Wright e o delegado Carvalho sabiam que tudo aquilo não passava de encenação. A frieza dele impressionava-os.

Guilherme sussurrou baixo:

— Cínico miserável.

O delegado ouviu.

Enquanto a pequena multidão acompanhava o féretro até a sepultura, o delegado aproximou-se de Marcílio e o convidou a comparecer à delegacia, às 18 horas para que ele prestasse seu depoimento. Carvalho simulou demonstrar sentimento de tristeza, para que ele não desconfiasse de que já o tinha como o culpado pelas mortes.

— Marcílio, você está bem? Tudo isso é muito triste. Imagino a dor que você e seus irmãos estão sentindo, mas tenho certeza de que com o tempo vocês vão se refazer. Eu preciso ouvi-lo hoje, às 6 da tarde. Fique tranquilo. É só trâmite natural do inquérito.

Ele concordou. Carvalho deu ordem aos agentes Demétrio e Azevedo para "colarem" em Marcílio o tempo todo depois do enterro. Temia que ele soubesse que o círculo se fechara e que, certamente com dinheiro na mão, tentasse fugir. Foi seguido passo a passo durante suas últimas horas de liberdade.

17

Os policiais civis Celso e Heráclito não tiveram trabalho para encontrar o número 148, apartamento 201, da rua Dom Bosco no bairro da Graça. Não foi preciso nem tocar o interfone, porque a porta principal do prédio foi aberta por uma moradora que estava de saída. Eles se identificaram e subiram a escada. Apertaram a campainha com dois toques fortes como se não quisessem deixar dúvida de quem batiam à porta. O som foi ensurdecedor. Íris entrou em pânico imaginando que Marcílio havia voltado. Ao verificar pelo "olho mágico", não teve trabalho em deduzir que era a polícia. Imaginou que ele fora preso e que se ela não confirmasse o álibi seria envolvida como cúmplice do crime. Tentou controlar-se e pediu um momento enquanto se vestia. Abriu a porta com o medo estampado no rosto. Celso e Heráclito mostraram os distintivos e, antes que os policiais falassem qualquer coisa, ela, nervosa, entrou na defensiva.

— Eu não fiz nada, eu não sei de nada, eu não matei ninguém!...

Celso mandou que se acalmasse, fez algumas perguntas básicas e pediu que os acompanhasse até a Delegacia de Homicídios.

— A senhora conhece Marcílio Moura Maia?

— Conheço, a gente já saiu algumas vezes.

— Ele dormiu aqui em seu apartamento na noite de sexta para sábado?

— Dormiu, mas eu não sei de mais nada.

— Tudo bem. Então, por favor, se apronte e nos acompanhe, porque o delegado quer ter um "particular" com a senhora. Fique tranquila, porque como a senhora disse que não tem nada com isso, vai ser moleza, é só para checar alguns pontos. Não tem o que temer.

Enquanto Íris se vestia no quarto a portas fechadas, os policiais deram uma busca rápida na sala e encontraram uma ponta de cigarro de maconha numa caixa de fósforos, atrás de um porta-retratos. Recolheram o material. A presença da viatura policial na porta do edifício mexeu com a rotina dos moradores do prédio e da rua. Os homens retardavam a saída para o trabalho, as mulheres postavam-se nas janelas para colher assunto para o "falatório" do dia. Íris, que nunca foi bem vista pela vizinhança, por ser solteira, vestir-se de maneira vulgar e ter uma frequência masculina anormal em seu apartamento, saiu de cabeça baixa. Sabia que seria notícia nos jornais do dia seguinte e que sua vida no bairro, a partir daquele momento, nunca mais seria a mesma. Teria que enfrentar, sempre que saísse à rua ou levasse alguém à sua casa, os comentários maledicentes dos vizinhos, especialmente das mulheres, que a tinham como tentação perigosa e constante aos seus respeitados maridos. Ao chegar à delegacia os policiais indicaram um banco desconfortável no corredor e a mandaram aguardar o delegado, que só chegou à delegacia por volta do meio-dia, vindo do enterro. Ele passou por Íris, que não escondia a impaciência de mais de três horas de espera, e entrou em sua sala. Logo em seguida chegaram Guilherme e o motorista Afrânio, que eram aguardados pelo delegado e foram relatar o que haviam descoberto com as meninas Santinha e Mariá.

— Doutor Carvalho, o crime teve testemunha. Desde sábado, Mariá, que como o senhor sabe é uma menina deficiente, portadora da síndrome de Down, vem repetindo a mesma coisa: "Marcílio bum, bum, bum...". Num primeiro instante não consideramos, mas a insistência da menina chamou a atenção de Afrânio, que tem uma convivência maior com ela. "Bum, bum, bum" só podia ser uma referência aos tiros dados por Marcílio. Perguntei a Santinha, a garota que cuida de Mariá e que salvou sua vida levando-a para debaixo da cama, se elas haviam visto quem cometeu os crimes e ela me confirmou. Em seguida perguntei se foi Marcílio e ela, chorando, também confirmou.

O delegado Carvalho adiantou a Guilherme que já tem provas suficientes de que Marcílio é o assassino e que a informação dele foi muito preciosa. Guilherme relatou o encontro do dr. Nelson Wright na manhã de domingo, a negativa de Marcílio, e que os outros irmãos já sabem que ele é o assassino.

Guilherme e Afrânio saíram da sala e Íris, finalmente, entrou acompanhada do agente Heráclito, que fez as apresentações. Ela tremia e suava.

— Doutor, essa aqui é a moça.

— Senta aí, "moça" — ordenou o delegado em tom de deboche. — Dona Íris de Almeida Andrade, não é isso mesmo?

— É sim senhor.

— O que é que a senhora faz na vida, dona Íris?

— Eu sou do lar.

— Sim, todo mundo é do lar. Mas a senhora trabalha, vive do quê?

— Bem, eu...

— A senhora faz programa, não faz?

— O senhor está me ofendendo...

— Ofendendo, nada. Puta, pra mim, também é trabalhadora. Faz ou não faz programa?

— Não vou mentir. Já fiz, não faço mais.

— Não faz mais porque achou um otário para lhe sustentar, não é verdade? Marcílio Moura Maia, seu namoradinho.

— É... ele vem me ajudando, enquanto eu procuro um emprego.

— Há quanto tempo a senhora está com ele? Quanto ele já lhe deu de dinheiro?

— Há uns três meses. Ele me deu pouca coisa, o suficiente para eu pagar o aluguel, as despesas, o senhor sabe...

— Eu não sei de nada. A senhora consome droga?

— Não, senhor.

— Tem certeza? Então o que é isso aqui, que os meus policiais encontraram em sua casa?

— Não é meu, não, senhor. Deve ser de Marcílio. Ele fuma e cheira.

— Ele dormiu com a senhora entre sexta-feira e sábado?

— Dormiu, sim senhor.

— A noite toda? Não saiu e depois voltou?

— Não, senhor.

— Como é que a senhora sabe, se estava dormindo? O que foi que a senhora bebeu naquela noite?

— Conhaque.

— Conhaque é forte. Quantas doses?

— Duas ou três, talvez.

— Fumou maconha?

— Não, senhor.

O delegado repetiu a pergunta alterando a voz. Ele sabia que a combinação de álcool com maconha pode levar uma pessoa a entrar em sono profundo, e não desconsiderou a possibilidade de Marcílio ter colocado algum sedativo na bebida da namorada para ter certeza de que ela não acordaria de maneira alguma durante a escapada para cometer o crime:

— Fumou ou não fumou maconha, porra?

— Fumei, sim senhor. Mas não cheirei. Eu não curto cocaína.

— E ele, cheirou?

— Acho que sim.

— Veja só, dona Íris, eu quero lhe ajudar, mas eu preciso que a senhora me ajude também. Nós já sabemos que o sacana do seu namorado saiu da sua casa enquanto a senhora dormia. Quem cheira cocaína como ele cheirou não tem sono, não tem fome, não tem tesão para foder. Ele matou quase toda a família enquanto a senhora estava apagada, e vamos prendê-lo nas próximas horas.

Carvalho fez a ameaça que Íris mais temia:

— Se a senhora não abrir o jogo agora e colaborar, eu vou carregar nas tintas e a senhora vai se foder, porque eu vou botá-la no inquérito como cúmplice. E aí já era. A senhora já vai conhecer os confortos do meu xadrez a partir de agora e vai apodrecer na cadeia. A senhora me entendeu? Então abra o bico, vamos lá, que eu não estou aqui para perder o meu tempo: ele saiu ou não saiu enquanto a senhora dormia?

— Saiu, sim, senhor.

Acuada, Íris disse que não viu Marcílio sair exatamente, porque estava dormindo em sono profundo. Mas contou ao delegado a ameaça que recebeu caso não confirmasse o *álibi* dele. Disse que esteve com ele no domingo à noite e que ele estava com comportamento diferente, cheirando muito e agressivo.

— Foi o que eu imaginei. Eu vou liberar a senhora por enquanto. Mas ainda vamos conversar, porque tem umas coisinhas que precisam ser esclarecidas depois que a gente prender o seu namorado e tirar a limpo toda essa história.

O delegado, então, chamou o escrivão e deu termo ao depoimento de Íris, que foi liberada por volta das 2h30 da tarde. Na saída, foi cercada e bombardeada por perguntas e *flashes* dos repórteres e fotógrafos que davam plantão na porta da delegacia. Conseguiu livrar-se deles, atravessou a rua correndo e pegou o primeiro ônibus que passava. Saltou três paradas adiante. Com fome, entrou num boteco, pediu um sanduíche de presunto e queijo, bebeu uma cerveja e retornou para casa, sendo observada pelas vizinhas através das frestas de portas e janelas indiscretas.

18

A pesar de os jornais da segunda-feira não apresentarem nenhum fato novo sobre as investigações, até porque os parentes não depuseram e o depoimento de Íris não foi divulgado, os programas policiais das rádios e os noticiários da televisão começaram a levantar uma forte dúvida sobre o verdadeiro autor do crime. Além de João, Marcílio e Nei também passaram a figurar como suspeitos. E um programa sensacionalista não descartava a hipótese absurda de vingança motivada por interesses comerciais. Um matador profissional teria feito o serviço. Estudou a casa, os hábitos familiares e executou o crime deixando pistas falsas. Intencionava matar apenas Fernando Moura Maia e o filho louco, para que o caso ficasse restrito à família — assassino e vítima. As duas mulheres foram acidentes de percurso.

Marcílio leu os jornais antes de ir para o cemitério. Sabia que a sua situação estava cada vez mais frágil e corria contra o tempo, porque toda a verdade estava prestes a vir à tona. Precisava ir ao enterro para manter as aparências e decidir o que faria dali para a frente. De uma coisa tinha certeza: não iria depor ao delegado. Acreditava que o restante da família sabia que ele era o assassino e não resistiria a uma acareação com Nei. Só lhe restava a fuga.

Os jornais circularam na terça-feira com a cobertura do enterro, mas ainda sem maiores novidades sobre as investigações. Traziam matérias requentadas. O *Diário da Tarde* já não era tão enfático em sustentar a versão original e afirmava que "a polícia mantinha um sigilo absurdo sobre o inquérito", dificultando o trabalho da imprensa e "exigia" um pronunciamento do delegado sobre o andamento dos fatos. Apelou para uma entrevista feita com um psiquiatra de renome, na qual argumentava que, pelas características, parentesco e o número de vítimas, o crime só poderia mesmo ter sido obra de alguém que sofresse de alguma patologia psiquiátrica grave e que cometeu o crime após um surto psicótico imprevisível e incontrolável. O psiquiatra ressaltava, no entanto, que a violência física era característica rara entre os portadores de esquizofrenia. Com esse depoimento "abalizado de uma autoridade no assunto de saber incontestável", o vespertino tentava minimizar o furo que levou do concorrente e insistia em afirmar, agora de forma pretérita, que João, o esquizofrênico, "seria" o autor da chacina. E que nas próximas 24 horas os laudos periciais técnicos "deveriam" confirmar a informação "que o *Diário* deu em primeira mão, horas após os assassinatos", na sua edição de sábado. Como novidade, exibia foto de Íris saindo da delegacia, especulando sobre seu depoimento ao delegado, indicando que a namorada "teria" confirmado o álibi de Marcílio, de que passaram a noite juntos, afastando com isso qualquer suspeita sobre ele. O vespertino, para não passar recibo ao concorrente, ignorou completamente mais uma vez a diferença de letras no bilhete e no caderno.

O *Jornal da Bahia*, como já era esperado, reafirmou que João não era o assassino, e garantiu com todas as letras que havia fortes suspeitas de que o autor da chacina era Marcílio. Dizia na sua matéria de capa, com a foto dele no enterro, cabisbaixo, óculos escuros sobre a cabeça, semblante cansado e topete caído cobrindo-lhe parte do rosto: "Crime da rua Dallas. Crescem suspeitas sobre outro filho".

E na matéria da página policial: "Polícia deve confirmar nas próximas horas que Marcílio é o assassino".

O editor-chefe, Rafael Teixeira, elogiou o trabalho da Polícia e, mesmo com o sigilo das investigações, disse que o "delegado Paulo Carvalho mostrou-se um policial correto e homem coerente ao render-se à realidade da prova apresentada pelo jornal e voltou atrás na sua conclusão precipitada sobre a autoria dos assassinatos". No cinema, no jantar e depois na alcova, Rafael não pediu nenhuma informação nova à namorada Cristiane Betini, mas conversaram sobre o crime e sobre a atitude do delegado em admitir o erro e corrigir o curso das investigações. Rafael sabia que estava no caminho certo. Sobre Íris, o jornal disse exatamente o contrário do concorrente: "embora tenha deixado a delegacia às carreiras, sem dar nenhuma declaração à imprensa, sua expressão e comportamento eram de quem tinha dado ao delegado alguma informação relevante para a solução do caso". A reportagem do *Jornal da Bahia* também destacou a postura de Marcílio durante o enterro, que se manteve distante de Nei e Vânia. "Num momento de dor tão grande, o natural seria que os irmãos sobreviventes permanecessem unidos naquela hora em que choravam a dor pela perda de entes tão próximos e queridos."

A disputa entre os jornais dividiu a opinião pública em discussões por toda a cidade. Virou debate em sala de aula, bate-boca em repartições públicas, tema central nas mesas e balcões de restaurantes e bares. O oitizeiro, árvore centenária da Praça Municipal, que abrigava a mais concorrida banca de jornais e revistas de Salvador, garantia sombra para que políticos, funcionários públicos, aposentados e transeuntes elaborassem as mais variadas versões sobre o caso. Eram discussões acaloradas, nas quais as pessoas se balizavam a partir da simpatia ou antipatia que tinham pelo governador ou pelos jornais concorrentes.

As quatro lojas da Moura Maia Tecidos permaneceram fechadas por dois dias e só reabriram na quarta-feira, um dia após o delegado anunciar o desfecho do caso. Todos os funcionários exibiam um pedaço de fita preta na manga ou no bolso da camisa em sinal de luto. O movimento nas lojas cresceu, principalmente na matriz da rua Chile, muito mais por causa da curiosidade em relação ao crime, às vítimas e sobreviventes do que propriamente pelo interesse dos clientes em comprar cortes de linho, algodão, organza, cetim e seda que exibiam em suas vitrines. Gerentes e vendedores foram instruídos a não dar nenhum tipo de declaração.

19

Depois do enterro, Marcílio pegou um táxi e foi até a casa da rua Dallas. Precisava de dinheiro, muito dinheiro, para fugir e sabia onde encontrar. Os dois policiais o seguiram num carro chapa fria a uma distância segura para não serem notados. Ele entrou pela porta dos fundos, subiu as escadas e foi direto ao quarto dos pais, onde ficava o cofre, cujo segredo ele já conhecia. Abriu e pegou tudo de valor que continha — dois milhões de cruzeiros, 35.500 dólares e a caixa de madrepérola com as joias de dona Anita. Colocou tudo na mesma sacola preta que havia usado para transportar o rifle e o revólver. Foi até o seu quarto, pegou algumas poucas roupas e pôs na sacola sobre o dinheiro. Ficou completamente nu como fez na madrugada de sábado. Caminhou pelo andar superior da casa reconstruindo todos os passos da noite do crime, procurando saber onde havia cometido erros. Despiu-se das roupas, mas não vestiu o manto piedoso do remorso. Sentou-se na cama dos pais, totalmente manchada do sangue que derramou. Quem seria, afinal, o louco da família? — perguntou-se. O pai, vítima da ignorância que a vida lhe impôs, tornando-o insensível a afetos e de coração fechado como o cofre onde guardava a sua miserável fortuna? Ou ele, que o destruiu em nome do desprezo que lhe sufocou sentimentos que nunca experimentou? João, não. João não seria capaz de fazer o que ele fez. João era o mais lúcido de todos. A loucura que diziam carregar no seu silêncio solitário era a mais saudável das fugas. Ele carregava dentro de si os que o amavam e os que o odiavam e sabia distingui-los em seus conflitos. Acostumara-se a conviver com eles, já que não tinha em casa com quem dividir suas aflições, seus momentos, suas incertezas. Poderia matá-los, ressuscitá-los ou substituí-los a qualquer hora sem esforço, sem mentiras, sem artimanhas, desde que esse fosse o seu desejo. E não teria ninguém para condená-lo, porque no seu mundo não permitia a presença invasiva de estranhos do mundo real. À sua volta não existia vida. E isso, à sua maneira, o fazia feliz. Não, João não era louco.

— Eu, Marcílio Moura Maia, sou o louco. De agora em diante todos vão saber que eu, Marcílio Moura Maia, fiz o que fiz porque sou louco.

Ele tomou banho, vestiu roupa limpa, pegou a sacola e seguiu para o hotel em que se hospedara no centro da cidade. Dormiu o restante da tarde e não foi depor na delegacia. Se fosse, certamente não sairia de lá — intuiu. A possibilidade de ser desmoralizado e passar o resto da vida na cadeia o aterrorizava. Previu que seria procurado nas próximas horas, mas acreditava que ninguém o encontraria naquele hotel. A polícia certamente iria à casa de Íris, de Vânia ou mesmo à fazenda, menos num hotel frequentado por bêbados, marinheiros, viciados e prostitutas. Acordou, consumiu a cocaína que ainda tinha no papelote e saiu pela noite. Entrou num bar na Ladeira da Praça e convidou uma puta para acompanhá-lo na bebida. Seguiu com ela para o hotel e, no caminho, comprou mais dez gramas da droga. Cheirou a noite inteira com ela, mas não fez sexo. Tinha desejo, mas não conseguia a ereção. A droga impedia. Mandou a mulher embora. Só queria a sua companhia para a travessia noturna. Conseguiu dormir com o dia claro. Acordou por volta de 2 da tarde. Demétrio e Azevedo se revezaram na campana do outro lado da rua do hotel. Ele pagou o hotel e seguiu em direção à rodoviária. Ia fugir. Seu destino: primeiro São Paulo, depois o Paraguai. Comprou uma passagem de ônibus leito com saída prevista em uma hora, às 4 da tarde.

Vânia e Nei confirmaram em seus depoimentos ao delegado Paulo Carvalho que o relacionamento de Fernando Moura Maia e Marcílio sempre foi conflituoso, desde a adolescência do rapaz. Aluno ruim, teve que trocar de colégio algumas vezes por repetência. Pai e filho conversavam pouco, mesmo quando viajavam juntos para a fazenda. Fernando chegou a pensar que a vida rural fosse uma solução para dar um rumo à vida de Marcílio, mas logo percebeu que a sua indolência, o seu desinteresse pelo trabalho e a falta de tino comercial fatalmente redundariam em prejuízo para os seus negócios. Fernando era um homem bom, mas de trato difícil, praticamente sem diálogo com os filhos. Convivia relativamente bem com Vânia e Nei, porque estes, de certa forma, atendiam as suas expectativas de pai. Nunca deram trabalho ou preocupação, diferentemente de João, o mais velho, e Marcílio, o mais novo entre os homens, com os quais era absolutamente indiferente.

Vânia relatou ainda ao delegado a reunião com doutor Nelson Wright e a reação de Marcílio quando o advogado disse que o assassino estava na sala do apartamento dela e que era um dos dois irmãos, apontando Marcílio como o provável autor do crime.

Apesar de ter certeza de que Marcílio era o assassino, o delegado Carvalho seguiu o ritual do inquérito e também ouviu Nei. Sabia, de antemão, que ele era um rapaz normal, de boa conduta e bom relacionamento com o pai, e que por essas razões não teria motivo para praticar um crime tão nefando. Bastaria, apenas, que confirmasse o seu álibi. E quem poderia comprová-lo estava ali ao lado dele, também diante do delegado: Amélia. A namorada, meio constrangida, confirmou sem entrar nos detalhes íntimos, que passou a noite praticamente acordada com Nei e que foram dormir com o dia clareando. Nei sugeriu ao delegado que checasse a informação com o motel, que certamente tinha em seus registros a placa do seu carro com os horários de entrada e saída.

Não tinha mais o que fazer.

Doutor Carvalho dispensou Nei, Vânia e Amélia. Chamou o policial Heráclito à sua sala e mandou que entrasse em contato, por rádio, com os policiais que estavam de campana em frente ao hotel barato onde Marcílio havia se hospedado no centro da cidade. A ordem era para prendê--lo. Os policiais disseram que estavam na rodoviária e que Marcílio acabara de comprar passagem para São Paulo. Heráclito contou ao delegado que ele estava tentando fugir. Tinha passado na rua Dallas e pegado uma sacola preta, provavelmente com roupa. O ônibus sairia dentro de uma hora. Iriam prendê-lo na hora do embarque.

O delegado Carvalho pegou o fone do rádio e falou diretamente com o agente Demétrio. Refez a ordem.

— Demétrio, fica com o Azevedo aí de olho nesse filho da puta, que só vamos dar voz de prisão a ele dentro do ônibus, no posto da Polícia Rodoviária Federal, para não deixar dúvida sobre sua intenção de fuga. Cuidado para não dar bandeira. Fique separado de Azevedo, cada um no canto. Quando o ônibus sair e vocês certificarem-se de que ele entrou, sigam o ônibus.

O delegado entrou em contato com o posto da Polícia Rodoviária, no km 26 da BR-324, e solicitou a interceptação do ônibus. Seguiu para a estrada com os agentes Heráclito e Celso. Marcílio sentou-se no balcão da lanchonete da rodoviária e pediu um Campari. Olhou em volta para ver se era observado e não desconfiou de nada. Sorveu a bebida de gosto acre como se bebesse sangue. Pagou e saiu. Entrou na banca de revista e comprou uma publicação pornográfica para curtir na viagem. Encaminhou-se para o embarque, tomou assento na terceira fila do lado esquerdo e reclinou a poltrona ao lado da janela. O ônibus deixou Salvador. Abriu a revista e folheou as páginas com fotos de sexo explícito. Sua excitação com a fuga era inversamente proporcional à provocada pelas imagens de sexo bizarro à sua frente.

O motorista do ônibus reduziu a velocidade ao sinal do guarda rodoviário ordenando que ele parasse no acostamento do posto. O veículo foi parando lentamente. Marcílio retornou a poltrona à posição original para ver o que acontecia. Ficou apreensivo. O motorista abriu a porta e o delegado entrou, acompanhado dos policiais. Marcílio ficou perplexo.

— Vai viajar, seu Marcílio. Pelo que eu sei a gente tinha um encontro ontem às seis da tarde. Ou o senhor não está lembrado?

Antes que ele esboçasse qualquer tipo de reação, o delegado deu voz de prisão.

— Levanta daí, vagabundo, fim da linha! Você está preso pela morte do seu pai, sua mãe, sua avó e o seu irmão.

O agente Heráclito pegou a sacola que estava no bagageiro, enquanto Azevedo apertava as algemas nos pulsos de Marcílio por trás das costas. Já haviam se passado 86 horas desde que fora dado o primeiro tiro que explodiu o coração de Fernando Moura Maia.

O *Jornal da Bahia* ganhou a parada. O secretário de Segurança, surpreendentemente, se deu por vencido. Ligou para o delegado cumprimentando-o pelo excelente trabalho da polícia e da perícia, afirmando que o governador estava muito satisfeito com o resultado das investigações, apesar dos equívocos iniciais, e que ele era "um orgulho e um exemplo a ser seguido por todos os servidores públicos, pela sua dedicação e trabalho incansáveis". O delegado não deixou por menos e devolveu o cinismo de maneira pomposa: "graças ao seu apoio irrestrito, secretário, obtivemos todo esse êxito. Eu ainda tenho muito trabalho pela frente, mas o senhor, tenho certeza, vai tomar merecidamente aquele uisquinho por mim e por toda a minha equipe hoje à noite, à beira da sua piscina aí nessa sua casa maravilhosa, para festejar esse momento glorioso da sua briosa Polícia Civil". Carvalho desligou o telefone e deixou escapar:

— Estou pra ver filho da puta falso igual a esse.

Riu junto com Heráclito.

20

Fernando Moura Maia tinha acabado de completar dezoito anos quando deixou a sua terra natal e veio para o Brasil. Trabalhou duro naquele último dia da colheita de azeitonas, na pequena propriedade rural da família, em Mirandela, na região de Trás-os-Montes, interior de Portugal. Guardou os utensílios da lavoura no galpão, lavou o rosto e os braços com a água retirada da cisterna do lado de fora da casa, entrou e sentou-se à mesa para o jantar, com o restante da família. Enquanto sorvia, cabisbaixo, a sopa com pão, levantava o olhar, vez por outra, para observar o movimento do pai comendo à cabeceira da mesa, levando colheradas à boca mecânica e velozmente, sem prazer. Era assim em todos os finais de tarde, exceto aos domingos, quando comiam carne de frango ou de porco com lentilhas à noite. Ainda na mesa, ao final do jantar, Fernando se imbuiu da coragem necessária e comunicou ao pai que iria embora. O velho olhou para ele, limpou a boca com a barra da toalha da mesa, levantou-se indiferente e seguiu para o quarto em silêncio. Donana, a mãe, abaixou a cabeça e seguiu os passos do marido, Antônio. As duas irmãs começaram a chorar, contidamente. No dia seguinte, antes de o sol nascer, Fernando Moura Maia pôs as duas únicas mudas de roupa que possuía numa pequena mala de couro, pegou os escudos que o pai havia deixado sob uma imagem de Santo Antônio no nicho localizado na sala e partiu sem dizer o destino. Foi o primeiro pagamento que recebera desde que começou a trabalhar ainda criança. Guardou o dinheiro no sapato. Caminhou alguns quilômetros pela estradinha que levava a Mirandela e, de lá, conseguiu carona para a Cidade do Porto. Pela primeira vez, pisou o solo de uma cidade grande. Caminhou por dois dias por suas ruas estreitas providenciando os documentos e aguardando a partida do único navio que zarparia para os portos do Brasil. Ficou fascinado com a grandeza inimaginável de tudo e a beleza das pessoas, que se comportavam e se vestiam tão diferente dele, dos pais, das irmãs e dos poucos vizinhos que, como ele, só sabiam colher azeitonas. Comeu pouco e alojou-se numa pequena pensão familiar. Economizou o quanto pôde o pouco dinheiro que tinha para utilizá-lo somente quando chegasse à terra firme, do outro lado do mundo. Foi ao cais e maravilhou-se por horas a fio com o movimento dos navios e o vaivém alegre dos marinheiros. Em breve seria um deles na sua travessia atlântica. Um aventura sem volta, viagem de um único porto. Conseguiu trabalho no cargueiro "Rosa de Portugal", ironicamente abarrotado de tonéis de oliva e certamente havia ali um pouco do sumo das azeitonas que um dia plantou e colheu. Zarpou confiante. Sentiu saudades da mãe e das irmãs. Sentia piedade do pai. Trabalhou no navio para pagar a viagem. Ajudava na cozinha, lavava pratos e limpava o convés.

Calado, sempre calado, evitava o quanto podia contato com outros marinheiros que, à noite, sob o céu estrelado do Atlântico, o chamavam para beber, jogar cartas e ouvir mentiras sobre tempestades vividas, brigas de faca nos portos do mundo e sífilis contraída e tratada com "Salvarsan" — o remédio precursor da penicilina — e doses generosas de vermute. Enjoou nos primeiros dias, mas acostumou-se ao balanço do mar. Quando o sol se punha, procurava um cantinho no convés da proa e deitava-se para ver e ouvir as estrelas e com estas, sim, conversava noite adentro. Escolheu três e nominou-as de Marias: sua mãe, Ana Maria, que todos tratavam por Donana; a irmã mais velha, Cici, Maria Cecília; e a caçula, Vivi, Maria Virgínia. Longe, agora sem medos, queria deixar para trás as angústias que o impediram de expressar o amor que sentia por elas. Longe, com um mundo novo em suas mãos, romperia o silêncio da sua alma, que sufocava suas emoções e reprimia suas palavras. Longe, senhor dos seus caminhos, poderia perdoar aquele pai tão vazio de amor, duro e seco como um tronco de oliveira. Dele, nunca recebera um afago, tampouco o viu acarinhar a mãe ou as filhas. Naquele céu enfeitado de marias não havia estrela para Antônio Maia.

Depois de sete dias de travessia no Atlântico, o Rosa de Portugal chegou a Salvador, onde permaneceu por três dias ancorado ao largo, esperando a vez para atracar. A visão da cidade à entrada da Baía de Todos os Santos fez o coração de Fernando disparar. Tinha medo, mas sentia-se livre. De longe, os casarios de arquitetura barroca nas encostas da velha Salvador lembravam a cidade do seu porto de partida. As prostitutas que chegavam de barco no começo da noite e subiam a bordo para beber e fazer sexo com os marinheiros o excitavam, mas aprofundavam ainda mais a sua timidez. Escondeu-se todas as noites no seu cantinho no convés e masturbou-se o quanto pôde. Fernando Moura Maia nunca havia deitado com uma mulher.

O cargueiro aportou no cais, numa tarde de domingo do verão de 1940. Ele desembarcou e passou pela alfândega sem problemas. Informou que tinha parentes e que iria trabalhar e criar raízes na cidade. Conseguiu visto de permanência de seis meses. Caminhou fascinado pelas ruas, becos e ladeiras e ficou impressionado com a negritude daquele povo. A liberdade iluminava o seu rosto jovem, acelerava o seu coração aventureiro e disparava seus sentidos para todos os lados, procurando descobrir gestos e paisagens nunca vistos e registrando cheiros e sons nunca vividos.

21

O repórter Fernando Pita foi escalado para dar plantão em frente à delegacia, com a recomendação expressa do editor Rafael Teixeira de seguir o delegado, caso ele saísse de maneira imprevista. Ele ficou afastado dos outros profissionais, dentro do carro do jornal, com o fotógrafo e o motorista sem tirar os olhos do estacionamento. O delegado saiu pela porta lateral da delegacia numa viatura com dois agentes, sem que os outros repórteres e fotógrafos percebessem. Pita viu e foi atrás.

— Pode apostar, Anísio, ele está indo prender Marcílio e vamos dar outro furo.

O experiente fotógrafo também não teve dúvida:

— Garoto, você está se saindo melhor do que a encomenda.

O carro da reportagem cortou a cidade atrás da viatura policial e pegou a estrada numa ação cinematográfica. O agente Heráclito, ao volante, percebeu que estava sendo seguido e informou ao delegado, que sorriu em sinal de aprovação. A polícia parou no posto rodoviário e Carvalho confirmou aos repórteres do *Jornal da Bahia* que dentro de alguns minutos prenderia Marcílio Moura Maia, que estava tentando fugir da cidade num ônibus interestadual, rumo a São Paulo. Carvalho intuiu que aquele garoto-repórter foi quem "roubou" o diário de João da cena do crime e perguntou:

— Me responda uma coisa, garoto. Foi você, não foi?

— Eu o que, delegado?

— Foi você quem pegou aquele caderno, não foi? Pode abrir o jogo, porque agora não tem mais problema. Pelo visto, você está sempre um passo à frente de todos esses repórteres policiais "putas velhas".

Fernando Pita sorriu meio sem jeito, pediu desculpas ao delegado e confirmou, um tanto orgulhoso.

— Fui eu, sim, senhor, mas só espero que o senhor não fique puto comigo não.

— Nada, relaxe. Parabéns, você quase me fodeu, mas eu lhe devo essa. Graças àquele maldito ou bendito diário eu tive tempo de corrigir o maior erro da minha vida de policial. E isso, quem diria, graças a você. Como é o seu nome?

— Fernando Pita.

Pita e Anísio conseguiram, para desespero das velhas raposas do jornalismo policial, especialmente do concorrente vespertino, dar o segundo grande furo da cobertura sobre o crime da rua Dallas: presenciar o exato momento da prisão do verdadeiro assassino, com direito a fotos exclusivas. A notícia se espalhou pela cidade e as discussões, agora, se voltavam para a motivação do crime. E era exatamente isso o que o delegado Paulo Carvalho queria saber.

Marcílio permaneceu calado durante todo o trajeto, no fundo da viatura, com as algemas lhe apertando os pulsos e a cabeça recolhida à altura dos joelhos encolhidos. Pelo rádio, o delegado acionou a doutora Cristiane Betini solicitando um médico para que fosse feito o exame de corpo de delito no preso, na própria delegacia. Carvalho fez questão de retirá-lo pessoalmente da pequena "jaula" na parte traseira da viatura, segurando-o pelos braços para exibi-lo aos repórteres, fotógrafos e cinegrafistas em frente à delegacia. Populares misturavam aplausos ao delegado e sua equipe com apupos e impropérios ao preso, chamando-o de "assassino, assassino, assassino". O delegado não conseguia esconder por trás da sua camisa vermelha e branca listrada e gravata verde a vaidade por ter resolvido mais um caso rumoroso. Queria sair na foto de todas as primeiras páginas de jornal, falar a todos os microfones de rádio e aparecer em todos os noticiários de televisão. Sua mulher, dona Valdete, com quem estava casado havia quinze anos, e os três filhos certamente ficariam muito orgulhosos. Apagava de vez e em grande estilo, assim, a escorregada que deu logo no início do caso. E era isso o que importava.

O advogado Nelson Wright ligou para o delegado Paulo Carvalho e, primeiramente, o parabenizou pelo desfecho do caso. Mas o motivo da ligação ia além. Comunicou-lhe que havia sugerido aos outros irmãos a contratação de um advogado criminalista para cuidar da defesa de Marcílio e acompanhá-lo, desde agora, no interrogatório. Eles se mostraram reticentes. Procuravam razão ou sentido para o ato de Marcílio e não achavam resposta. Essa também era a grande incógnita para o delegado Paulo Carvalho. Agora só faltava saber o motivo do crime. Para ele, a ambição, pura e simples, como razão para alguém eliminar a sangue-frio pessoas que estiveram ao lado dele a vida inteira, cuidando, protegendo, alimentando não era resposta suficientemente plausível. Se eles já tinham um irmão com esquizofrenia e uma irmã com síndrome de Down, será que a deficiência mental não seria um mal congênito na família? E que a loucura se manifestou em Marcílio após ele tornar-se dependente químico, principalmente da cocaína?

— Vânia e Nei estão muito abalados para fazer alguma coisa pelo irmão assassino nesse momento, delegado. A indignação deles é muito grande. Eles estão sofrendo não apenas com a dor da perda de quatro parentes tão próximos de uma só vez de maneira tão trágica e absurda, mas também com a exposição pública que estão enfrentando e vão ter que enfrentar ainda por um bom tempo. Por isso, recomendo que o senhor solicite a indicação de um defensor público para acompanhar o caso.

Carvalho informou ao dr. Wright que interrogaria Marcílio somente na manhã seguinte. Ele ainda estava sob o efeito de muita cocaína consumida nos últimos três dias e, por isso mesmo, sem dormir direito há um bom tempo.

— Por uma questão de bom-senso e humanidade, doutor Wright, achei por bem só interrogá-lo amanhã de manhã. O advogado João Meira já foi indicado pela Defensoria Pública e vai acompanhá-lo durante todo o processo.

Por segurança, Marcílio ficou numa sala isolado dos outros presos. Recebeu o jantar — uma quentinha com arroz, feijão, frango e batatas fritas —, mas não comeu. Havia mais de 30 horas desde a última refeição. A sala, improvisada de cela, tinha apenas uma cama estreita com colchonete, uma pequena mesa de madeira com uma garrafa plástica de água e banheiro anexo com chuveiro, vaso e pia. Era lá, nos plantões sem tragédias, que o delegado Carvalho desfrutava de breves sonecas reparadoras nas madrugadas da sua delegacia. Marcílio andava de um lado a outro como uma fera inesperadamente enjaulada. A droga e a ira lhe subtraíram a fome e o sono. Imaginou que foi denunciado por Íris, que, à primeira pressão ao ser interrogada, não confirmou o seu álibi. A abstinência da droga começou a dar os primeiros sinais. Ele suava muito, mordia os lábios e tentava, em vão, prender a grande franja do cabelo liso que insistia em invadir a testa.

Às 11 da noite, exausto pelo dia concorrido, o delegado Paulo Carvalho encerrou o seu expediente, com a recomendação expressa de que ninguém deveria entrar na sala-cela. Recebeu um aperto de mão do agente Heráclito, que pilheriou:

— E se o bonitão aí tiver um "treco" depois do caminhão de pó que ele cheirou, o que é que a gente faz?

— Deixa morrer, não vai fazer falta alguma.

22

O português Fernando Moura Maia mal sabia ler e escrever quando chegou à Bahia. Hospedou-se numa pensão próxima ao porto, ocupando um cubículo de paredes de compensado à meia altura, com um caixote que servia de armário, cama com colchão de capim e lençol encardido. Era o que dava para pagar com o dinheiro que resultou do câmbio que fez com os escudos que tinha escondido no sapato. Além do mofo e dos percevejos, tinha que travar uma luta inglória com o barulho dos vizinhos de quarto, prostitutas pobres e feias que alugavam seus corpos por trocados, indiferentes ao choro faminto dos seus filhos de colo. Trabalhou duro desde os primeiros dias. Seu primeiro e único emprego foi como balconista num armazém de secos e molhados no Largo do Ouro, na Cidade Baixa, de propriedade de um patrício lisboeta, Manoel da Gama Pereira, que, com o passar do tempo, praticamente o adotou como filho. Uma semana de trabalho foi o suficiente para que Fernando ganhasse a confiança do patrão e já ocupasse um quarto nos fundos do armazém. Era inteligente e aprendeu rápido as artes do comércio de atacados. Guardava cada centavo que recebia de salário. Era um rapaz tímido, de poucas palavras. O patrão sabia apenas de onde ele vinha, o que fazia antes e que havia deixado para trás pai, mãe e duas irmãs, das quais tinha saudades e boas recordações. Nunca falou sobre Antônio Moura Maia.

Manoel da Gama Pereira havia imigrado para o Brasil em circunstâncias muito parecidas, vinte anos antes. Era bem de vida, embora não fosse um comerciante rico. Casou-se aos trinta anos com dona Laura e tinha uma filha, Anita, de doze anos. Gostou de Fernando desde o primeiro momento e não o forçou para saber mais sobre a sua vida e o seu passado. Ouviu o seu coração e passou a confiar naquele garoto alto, magro, de olhar assustado, um aventureiro de além-mar como ele, que bem poderia ser o filho homem que ainda não teve.

Com o dinheiro que economizou em cinco anos de trabalho, Fernando teve a oportunidade que mudaria radicalmente a sua vida. Ouviu numa conversa entre dois clientes no balcão do armazém que a Companhia Têxtil da Bahia, com dificuldades financeiras, pediu concordata e estava liquidando os estoques de tecidos a preços abaixo do custo. Aproveitou o horário de almoço e foi até o depósito da fábrica, próximo ao armazém. Com o dinheiro que tinha daria para comprar metade do que estava sendo ofertado, sobretudo os tecidos de menor qualidade. À tarde, conversou com o patrão sobre a "pechincha", disse-lhe que tinha muita gratidão, mas queria abrir o seu próprio negócio. Manoel não criou resistência. Ficou triste porque naquele momento sabia que estava perdendo o funcionário, mas feliz pelo arrojo e ousadia daquele rapaz que tinha como filho. Manoel da Gama Pereira concordou. Fernando pediu para guardar a mercadoria no armazém enquanto procurava um ponto comercial para se estabelecer. Encontrou uma pequena loja na Baixa dos Sapateiros, zona de comércio que abastecia as camadas mais populares de Salvador e, dois meses depois, deixou a Gama Pereira Secos e Molhados e abriu a primeira loja da Moura Maia Tecidos, quando tinha apenas vinte e três anos.

Os laços entre os dois, no entanto, longe de desatarem, fortaleceram-se ainda mais. Nas suas frequentes visitas à casa do patrão, Fernando começou a flertar Anita, agora uma moça feita, muito bonita e prestes a completar dezoito anos. Manoel percebia a troca de olhares e o quanto os dois ruborsciam quando estavam juntos e percebiam a sua aproximação. Fernando tomou coragem. Num final de tarde de uma sexta-feira, quando sabia que o movimento do armazém era pequeno, foi conversar com o futuro sogro. Disse que gostava de Anita há algum tempo, que acompanhou o crescimento dela, que a respeitava muito e queria permissão para namorá-la. O português Manoel o fitou por segundos e Fernando temeu pelo pior. Quase desistiu do pedido e saiu correndo da loja.

— Ora, pois, gajo! Boto muito gosto. Agora que você não cheira mais a charque nem a bacalhau, tem a minha bênção. Mas a Anita já sabe das tuas pretensões?

— Ainda não, seu Manoel. Mas eu acho que ela vai gostar de saber que eu estive aqui para falar com o senhor — respondeu Fernando, saindo da loja sem demonstrar a emoção que o momento naturalmente provocaria.

Fernando e Anita casaram-se depois de cinco anos de namoro e noivado. A Moura Maia Tecidos cresceu e, além da loja da Baixa dos Sapateiros, abriu outras filiais e conquistou a rua Chile, que reunia as lojas e magazines frequentados pelos ricos da Bahia. Fernando tornou-se um deles. Comprou um terreno na rua Dallas, num bairro de famílias poderosas e construiu o sobrado em estilo francês, onde seria assassinado pelo filho.

Anita sempre foi tímida. As poucas vezes que saía de casa eram para visitar os pais ou ajudar as obras sociais do padre Amparo na Igreja da Graça onde, aos domingos, frequentava a missa das dez da manhã com o marido ou era levada pelo motorista. Aos sábados, recebia seu Manoel e dona Laura para a bacalhoada tradicional do almoço. Ficou grávida de Vânia logo nos primeiros meses de casada. Perdeu duas crianças. Uma na barriga e outra com alguns dias de nascida. Deu à luz os outros filhos praticamente um atrás do outro, à exceção de Mariá, que nasceu nove anos depois de Marcílio, quando acreditava não ter mais idade para reproduzir. Desde então, passou a acreditar que era responsável pela filha ter nascido com a síndrome de Down, por causa da acusação recorrente do marido. A introspecção era uma característica comum na personalidade do marido e da mulher. A quase absoluta falta de diálogo se agravou com o tempo e à medida que os filhos cresciam, tornando-os quase dois estranhos sob o mesmo teto, embora dividissem a mesma cama. Com a morte de Manoel da Gama Pereira e a ida de dona Laura para morar com a filha, tornaram-se ainda mais distantes. Fernando dedicava-se ao trabalho e à ampliação dos negócios, como se fossem a sua única razão de viver e relacionava-se com a família da mesma maneira que o seu pai tratava a mãe, ele e as duas irmãs, em Portugal. Sem maiores gestos de carinho, sem um olhar compreensivo, sem uma palavra doce, mesmo com Vânia e Nei, filhos que, de certa forma, tinham tratamento diferenciado por serem bem-sucedidos.

23

Marcílio passou a noite se debatendo de um lado para o outro na cama desconfortável, sem conseguir dormir. A droga, ou a falta dela, não deixava. O ar que entrava pela pequena janela gradeada mal dava para ele respirar. Bebeu toda a água da garrafa e agora sentia sede. A escuridão absoluta tornou-se desesperadora. Teve medo e alucinações. Ouvia o ressoar de tiros do seu rifle ecoando em seus ouvidos e a voz do pai repetindo continuamente que ele era um canalha. Cobriu as orelhas com as mãos, mas aqueles sons ficavam represados em sua cabeça. Bateu a testa seguidamente na parede, como se quisesse expulsá-los da sua mente. Sentou-se no chão e chorou. Quis gritar, mas não tinha mais forças. Adormeceu e só acordou às 7 horas da manhã pelo carcereiro e por um agente policial, que levou escova de dente, creme dental, café com leite e um pedaço de pão com manteiga. Calmo, Marcílio pediu para tomar um banho e uma muda de roupa que estava na sacola com o dinheiro. Foi atendido, ao tempo em que o carcereiro fez um comentário comum sempre que um preso imagina ter direito a algum tipo de regalia:

— Aproveite, bonitão, porque esse mole vai acabar. O pessoal da geral lá embaixo no xadrez não vê a hora de recebê-lo de braços abertos.

O delegado Paulo Carvalho chegou às 8h30 da manhã, com ar descansado e vitorioso. O defensor público João Meira e o promotor Roberto Santana o aguardavam em sua sala. Os advogados o cumprimentaram e ele pediu a um agente para trazer café e água.

— Doutores, hoje teremos um dia longo. Espero que a "fera" tenha conseguido dormir e colabore com o nosso trabalho. Quando o prendemos ele estava completamente chapado de pó. Devia estar cheirando há umas trinta horas seguidas. Não quis jantar. Estava tão travado que não tinha a menor condição de comer. E olha que essa maravilha que a gente serve aqui aos nossos hóspedes não é de se jogar fora!

Meira e Santana riram meio sem graça, constrangidos com a pilhéria inconveniente de Carvalho. Os policiais deram dez minutos para Marcílio se aprontar e ficaram do lado de fora da sala aguardando. Entraram em seguida, o algemaram e o levaram para a sala de interrogatório, onde ele aguardou, impaciente, por cerca de meia hora. Alguns jornalistas procuraram Carvalho para saber como o preso havia passado a noite e ele informou que Marcílio deve ter tido dificuldades para dormir por causa da cocaína que consumiu, embora tenha passado "a noite sozinho em uma cela especial para preservar a sua segurança pessoal". Colocá-lo no xadrez comum abarrotado de presos, inclusive de outras delegacias, seria uma temeridade. Linchamento certo.

— Ele já está na sala de interrogatório e quando terminar, se os senhores tiverem um pouco de paciência, eu vou conversar com todos.

Carvalho pediu ao agente policial para retirar as algemas de Marcílio e sentou-se à sua frente, ladeado pelos advogados devidamente apresentados e identificados pelo delegado. Marcílio permaneceu cabisbaixo. Carvalho pediu que ele levantasse a cabeça, pois "não gostava de conversar com ninguém sem olhar nos olhos". Marcílio ergueu o rosto lentamente, olhou para os advogados primeiramente e fixou um olhar frio no delegado. Sentado no canto da sala, o escrivão Calixto Moreira registraria tudo, perguntas e respostas, em sua máquina de escrever, uma velha Olivetti 88.

— Bom, assim é melhor. Vamos começar o nosso trabalho. Eu só queria que o senhor confirmasse: seu nome completo é Marcílio Pereira Moura Maia, vinte anos, filho de Fernando Moura Maia e Anita Pereira Moura Maia, correto?

— Isso mesmo.

— O senhor confirma que na madrugada de sábado, dia 10 de março de 1970, matou utilizando um rifle Winchester .44 o seu pai Fernando Moura Maia, a sua mãe Anita Pereira Moura Maia, sua avó Laura Souza da Gama Pereira, o seu irmão João Pereira Moura Maia, este com um revólver Taurus calibre 38?

Por alguns instantes Marcílio permaneceu silencioso com o olhar fixo no delegado. Nenhum músculo se mexeu no seu rosto por longos quinze segundos, quando ele ajeitou a franja com os dedos, puxando para o lado os cabelos caídos na testa. Não respondeu e contra-atacou com uma pergunta inesperada, em tom arrogante:

— Antes de responder qualquer coisa, eu gostaria de saber o que é que vai acontecer comigo.

O delegado controlou a irritação e, demonstrando calma, aconselhou:

— Senhor Marcílio, quem faz as perguntas aqui sou eu. Que isso fique bem claro para o seu próprio bem daqui pra frente. Mas eu vou abrir uma exceção e lhe responder. O que vai acontecer com o senhor quem vai determinar é a Justiça, aqui tão bem representada pelo promotor público, doutor Roberto Santana, e pelo seu advogado de defesa, doutor João Meira, nomeado pela Defensoria Pública, porque os familiares que o senhor não matou se negaram a indicar um advogado para cuidar do seu caso. Pessoalmente, acredito que o senhor deverá passar muitos e muitos anos na cadeia. Portanto, vamos ao que interessa. O senhor confirma ou não confirma que matou seu pai, sua mãe, sua avó e o seu irmão?

Marcílio respondeu, dessa vez sem rodeios.

— Confirmo. Fui eu.

O escrivão Calixto Moreira registrou o "confirmo" em caixa-alta na sua máquina de escrever, como se estivesse batendo no interrogado. O delegado prosseguiu fazendo a segunda pergunta mais importante do interrogatório e foi surpreendido com a resposta. Quando questionou Marcílio sobre os motivos que o levaram a praticar o crime ele respondeu sem deixar espaço entre a pergunta e a resposta. Disse que não sabia, "que não se lembrava de nada do que aconteceu naquela madrugada, porque estava muito louco". Defensor e promotor público se entreolharam.

24

O jovem João Meira foi um dos melhores alunos da turma de direito de 1962 da Universidade Federal da Bahia. Boêmio, bonito e anárquico, compensava a falta de dinheiro com os seus olhos azuis e os cabelos rebeldes ao vento, para fazer sucesso entre as mulheres e, principalmente, entre as colegas de faculdade. Queria ser advogado para defender as pessoas. Os pobres de preferência. Passou em primeiro lugar no concurso para a Defensoria Pública logo depois de obter o registro da Ordem e ganhou fama rápido com defesas vitoriosas, que invariavelmente deixavam o direito de lado e apelavam para a eloquência da retórica e argumentos heterodoxos. Os júris dos quais participava, por mais insignificantes que fossem o réu e o caso, eram espetáculos, e os lugares na plateia do tribunal eram disputados como num *show* de artista *pop* consagrado. Em sua maioria, jovens estudantes que o tinham como ídolo. Desalinhado, com uma beca surrada, propositadamente necessitando de costura, e barba por fazer, envolvia os jurados em suas réplicas e tréplicas como se eles lhes fossem íntimos. Alternava o discurso com tons brandos, quando queria carregar na emoção e voz alta quando argumentava sobre a possibilidade de uma "injustiça irreparável" contra o "pobre" acusado, que de réu ele transformava em vítima. Foi assim ao conseguir absolvição para um guarda-noturno que matou a mulher e o amante ao flagrá-los em sua cama pela manhã quando retornava do trabalho. Um mecânico que matou um jovem de classe média alta com um golpe de chave de fenda no abdome, por tê-lo chamado de negro, ladrão e filho da puta, numa discussão sobre o valor do conserto do carro. Ou uma mãe que matou o próprio filho drogado, ao surpreendê-lo seviciando a irmã de apenas dez anos.

Se tivesse de escolher seus clientes, Marcílio certamente não seria um deles. Era rico e de causa perdida pela dimensão do crime que cometeu. João Meira, apesar da notoriedade do caso, não o queria, mesmo sabendo que a repercussão prometia ainda muitas manchetes quando chegasse a hora do julgamento.

Roberto Santana tinha estilo oposto. Era um conservador. Dois anos mais velho, negro e de elegância invejável tanto no vestir quanto no trato. Era muito respeitado entre os seus pares, especialmente os juízes, por ser um profundo conhecedor do Código Penal e sua intransigência em relação ao cumprimento rigoroso da lei, sem meio-termo. Era o mais duro entre todos os promotores do Ministério Público e teve embates memoráveis com João Meira no salão do Júri do Fórum Rui Barbosa, pródigos em ironias, artimanhas e citações filosóficas e jurídicas, muitas delas inventadas na hora, com autoria duvidosa. Eram grandes amigos, apesar de adversários ferrenhos.

No intervalo do interrogatório, os dois saíram para almoçar e ter uma conversa informal sobre o caso. João confessou que não gostou nem um pouco de ser escolhido para defender Marcílio. O promotor Roberto Santana, pelo contrário, estava exultante. Acreditava ter nas mãos um caso com defesa complicada e com condenação máxima garantida para os quatro crimes. Para ele, que sempre viu a justiça de maneira pragmática, sem o romantismo do colega defensor, essa perspectiva mexia com o seu ego. Antevia, assim, a possibilidade de uma vitória irrefutável e gloriosa sobre o seu maior contendor. E João Meira sabia disso. Ao deixar escapar o comentário sobre o futuro do julgamento de Marcílio de que "aquele louco está fodido", o advogado deixou Santana intrigado quanto ao caminho que tomaria durante a defesa e perguntou:

— Você está pensando em basear a defesa na alegação de incapacidade mental ou privação momentânea dos sentidos? Esse cara premeditou tudo, João.

— Eu ainda não estou pensando nada, mas você há de concordar comigo que o que ele fez, matar numa tacada só quatro membros da família, é coisa de louco. Ou não é? Vamos almoçar, porque a tarde promete.

Às 3 da tarde, os dois retornaram à delegacia para a segunda etapa do interrogatório, mas foram surpreendidos com a suspensão, por determinação do médico chamado às pressas pelo delegado Carvalho. Marcílio estava no auge de uma crise de abstinência de cocaína, com calafrios, suores e tremedeira no corpo, sem capacidade verbal e sem condições de concatenar as ideias. O médico aplicou-lhe um sedativo que o faria dormir pelas próximas doze horas. O delegado não teve outra opção senão transferir o interrogatório para o dia seguinte, às 9 da manhã. O adiamento não alterava muita coisa na cronologia que o delegado estabeleceu para o inquérito. Depois que obteve a confissão, ele teria todo o tempo do mundo. Convocou os repórteres plantonistas e concedeu entrevista coletiva, informando sobre o estado de saúde de Marcílio e que ele já havia confessado a autoria dos crimes e estava separado dos outros presos numa sala especial. Comunicou, também, que pediu a sua prisão preventiva, alegando a gravidade do crime e a possibilidade de tentativa de fuga do país.

Vânia não resistiu e mesmo contra a vontade do marido, Guilherme, foi à delegacia visitar o irmão. Queria vê-lo de perto, ouvir uma razão, um sentido para ele ter feito tudo aquilo, saber por que ele estendeu à mãe, à avó e ao irmão que o amavam de verdade o desprezo e o ódio que porventura sentia pelo pai. Mas ela não pôde vê-lo, porque ele havia sido dopado para que a crise fosse controlada. Pelo menos dopado, o seu espírito estaria em paz, sem o tormento da droga que buscou para vencer suas inibições e terminou por potencializar os seus recalques, sem o peso da culpa por fazer o seu próprio sangue jorrar e sem o medo de ter que passar a sua juventude trancado no inferno que o aguardava.

Vânia conversou longamente com o delegado sobre o vício do irmão, que ela e a família desconheciam até então. A serenidade dela o impressionou. Segundo ela, eles sabiam apenas que Marcílio fumava maconha, droga recorrente entre os jovens da sua idade e até certo ponto permissiva diante da maneira como a juventude passara a se comportar naqueles tempos de mudanças e quebra de regras e tabus. O pai sabia, implicava, desaprovava, mas todos acabavam por fazer vista grossa. O uso sistemático da maconha, de certa forma, não provocava mudanças em seu comportamento, que continuou sendo reservado, silencioso e introspectivo. Do consumo de cocaína, ninguém sequer desconfiava, muito menos fazia a menor ideia de como ele conseguia comprar a droga.

A cocaína só chegou a Salvador em escala e quantidades preocupantes a partir de meados dos anos 70. Por ser uma droga rara e cara, ainda era restrita a uns poucos "granfinos", que a traziam do sul do país camuflada em suas bagagens e consumida em festinhas *privê* e nas poucas boates de luxo da cidade. "E pelo que eu sei, ele, embora fosse um rapaz rico, não era de frequentar esses círculos", lembrou Carvalho. A Delegacia de Tóxicos e Entorpecentes

— explicou ele — registrava apenas casos esporádicos e apreensões de pequenas quantidades. Nada alarmante. Os jovens que embarcavam na onda *hippie* consumiam mesmo era maconha e, eventualmente, o ácido lisérgico — o atraente LSD —, que segundo eles, fazia o mundo ficar muito mais colorido e alegre.

— Ele não era uma pessoa má, doutor.

Ao ouvir a declaração da irmã de Marcílio com os olhos cheios d'água, o delegado Carvalho sentiu muita pena de Vânia. Percebeu nela, depois de passado o impacto da morte, do enterro e da prisão do irmão confesso, a divisão da sua alma. Agora não era o sangue dos parentes mortos que falava mais alto, mas o sofrimento do irmão encarcerado que também lhe afligia o coração.

— É muito difícil perdoá-lo depois de tamanha barbaridade. Mas de cabeça fria, refletindo muito, só posso atribuir toda essa tragédia à loucura decorrente do uso dessa droga que provocou uma alteração devastadora no comportamento do meu irmão, deformando o seu caráter e lhe subtraindo os mais elementares valores. Eu tenho absoluta convicção de que quando ele readquirir o seu estado normal terá consciência plena da loucura que cometeu e se arrependerá. E mais: saberá que a justiça vai ser feita e que a punição, por mais rigorosa que seja, não será suficiente para devolver a paz para a sua alma. A maior punição estará dentro dele mesmo para o resto de sua vida. E isso é terrível.

Vânia admitiu que ele e o pai nunca se entenderam, mas que daí a matá-lo friamente havia uma distância muito grande. Nos três últimos dias, buscando explicações no passado, ela chegou à conclusão de que foi a droga que transformou os ressentimentos que o irmão acumulou ao longo de vinte anos em ódio no seu estágio mais nefasto, desde o primeiro momento, quando começou a elaborar o plano diabólico até o instante em que apertou seguidamente aquele gatilho. "Um ódio que cresceu na mesma proporção em que ele continuamente se drogava. E que, de tão devastador, foi capaz de cegar o amor que ele certamente tinha pela nossa mãe, pela vovó e pelo nosso irmão."

— O senhor sabia que das pessoas lá de casa, Marcílio era o único que tinha acesso ao mundo hermético de João? Várias vezes os vi conversando e rindo, como dois jovens normais, como dois irmãos que trocam confissões, que têm sonhos em comum.

O delegado sensibilizou-se com a fragilidade de Vânia, que buscava, sem muita convicção, justificar o injustificável. Ele a acompanhou até a porta da delegacia. Ela retirou da bolsa uma Bíblia e um envelope contendo uma carta, pedindo que fosse entregue ao irmão. Carvalho a abraçou ao despedirem-se.

— Fique em paz. Entendo perfeitamente os seus sentimentos e, creia, estou com muita pena dele nesse momento. Vai demorar um tempo, ainda vai ser muito doloroso, mas tudo isso vai passar e a senhora e Nei poderão retomar as suas vidas. Quanto à integridade física do seu irmão, não se preocupe. Estamos tomando todos os cuidados para preservá-la e as medidas necessárias para que ele supere a crise de abstinência e, longe da droga, consiga, pelo menos, vencer o vício. Só então, quem sabe, ele vai começar a descobrir a paz que todos nós, mortais, precisamos para tocar a vida adiante, até mesmo alguém como ele, com o peso da cruz que terá de carregar pelo resto da vida.

25

O advogado Nelson Wright ligou para o delegado Carvalho pedindo um encontro. Tinha uma informação importante, mas não queria falar por telefone. Ele chegou à delegacia logo após a saída de Vânia. O que iria revelar não dizia respeito à autoria do crime, mas à sua motivação. Fernando Moura Maia sofria de um câncer agressivo, que lhe atacara a próstata e atingira o estágio de metástase. Estava realizando tratamento com cobalto e deveria ser operado dentro de alguns dias. Havia alguns meses, reuniu a família para participar a doença. Sabia que o seu caso era grave e irreversível. Estava com os dias contados. Além da mulher e dos filhos, menos João e Mariá, apenas dr. Wright sabia do seu estado de saúde, muito mais por questões profissionais do que pelos laços de amizade que mantinham. Fernando preocupava-se com a divisão dos seus bens e como proceder em seu testamento para deixar protegidos os dois filhos incapacitados mentais. Fernando e Anita eram casados em comunhão de bens, o que, por direito, garantia a ela metade da fortuna acumulada ao longo de vinte e cinco anos de união. A outra metade pertenceria naturalmente aos filhos, em partes iguais. Doutor Wright sugeriu que a divisão fosse procedida dessa maneira, mas que ele deixasse testamentado que a parte da herança destinada a João e Mariá ficaria sob a custódia de Vânia, que com a sua morte seria a responsável por eles. O motorista Afrânio e a empregada Nalva, que serviam à família há mais de quinze anos, foram agraciados com a posse definitiva da casa em que moravam e que pertencia a Fernando.

— Portanto, dr. Carvalho, de maneira alguma a mera ambição não pode ser tomada como o único motivo do crime, uma vez que Marcílio sabia que, em muito pouco tempo, seria um herdeiro consumado, dono de uma significativa fortuna aos vinte anos, com livre-arbítrio para fazer dela o que bem entendesse.

O advogado creditava ao ódio do filho pelo pai a crueldade com que praticou o crime. Achava que ele não queria apenas a morte de Fernando Moura Maia vitimado pelo câncer, mas sim matá-lo com suas próprias mãos para sentir-se vingado. Esse era um aspecto. O delegado, contudo, não descartou a ideia de ele acelerar a morte do pai por ter pressa em tornar-se rico e independente e ter uma parcela maior na herança com a morte do irmão. O assassinato da mãe e o da avó não estariam nos seus planos.

Após 17 horas seguidas de sono, Marcílio acordou calmo. Levantou-se às 7 da manhã e ficou algum tempo de pé em frente à janela estreita localizada no alto da sala. Buscava a pequena réstia de luz que invadia a escuridão da cela improvisada. Viu sobre a mesa a Bíblia e a carta deixadas pela irmã. Virou-se de costas para a janela e direcionou a luz que vinha de fora para o papel. Identificou a assinatura de Vânia ao final do escrito. Leu e não conseguiu controlar a emoção:

Marcílio,

Não sei onde encontrei forças para lhe escrever depois de tudo o que aconteceu. Meu coração está em pedaços, sangrando com a mesma intensidade daqueles que você tirou a vida. Não estou lhe escrevendo para julgá-lo, nem buscar razões ou motivos para o seu ato tão tresloucado e desprovido de qualquer sentimento moral. Até porque se o fizesse, o estaria condenando todos os dias da minha vida, mesmo sabendo que a loucura, embora momentânea, não se explica nunca. Os homens e a sociedade, estes sim, vão julgá-lo pelo crime bárbaro que você cometeu, mas caberá a Deus, somente a Ele, perdoá-lo. Por isso, estou lhe deixando esta Bíblia, para que você possa se aproximar Dele nesse momento de arrependimento que, eu espero, já está chegando ao seu coração. Daqui para frente, o mais importante é que toda a verdade venha à tona. Não há mais nada a esconder, nem para onde fugir. Só a verdade e o arrependimento serão capazes de salvá-lo de todo esse martírio e devolver a você e ao que restou da sua família a paz de espírito que toda essa tragédia nos causou.

Com o coração sem ódio, mas cheio de mágoa e dor.

Vânia.

Marcílio desmoronou. Nem de longe lembrava o assassino dissimulado que negou a autoria do crime que planejou e executou tão friamente. A carta lhe caiu às mãos como uma granada sem pino de proteção pronta a explodir. O delegado entrou na sala com o agente Heráclito e o carcereiro, que levava um copo de café e pão com manteiga, flagrando-o com lágrimas nos olhos. Percebeu de imediato o efeito que a carta provocou, e aquela reação, de certa forma, seria benéfica durante o interrogatório. Por trás do "monstro insensível" havia um ser humano que a partir daquele instante, lúcido, provavelmente teve a exata dimensão da loucura que cometera e que o seu destino era irreversível. Perguntou-lhe se estava bem, se havia conseguido dormir e informou que daria continuidade ao interrogatório assim que ele se alimentasse.

Os dois advogados aguardavam o delegado na sala de interrogatório, juntamente com o escrivão Calixto Moreira. Marcílio foi conduzido pelo agente Heráclito, que lhe retirou as algemas e puxou a cadeira para que se sentasse em frente ao delegado.

— Bom, Marcílio, vejo que você já está recuperado, conseguiu finalmente dormir e que leu a carta que a sua irmã deixou, juntamente com a Bíblia. Evidentemente, que não sei o que ela escreveu, mas imagino que tenha servido para você refletir sobre a realidade dos fatos. Creio que você sabe que as coisas daqui para a frente serão muito difíceis, por isso, conto com a sua colaboração para que, ao sairmos desta sala, tenhamos a verdade dos fatos em toda a sua plenitude. Esse é o único caminho a seguir por mais dolorosa que essa verdade seja.

O delegado mentiu sobre a carta. Antes de colocá-la na mesa juntamente com a Bíblia, abriu o envelope que não estava lacrado e leu o seu conteúdo. As palavras da irmã — teve certeza — fariam muito mais efeito do que qualquer pressão psicológica durante o interrogatório.

— A verdade só vai facilitar as coisas para você e para todos nós. Certamente vai contribuir para você tirar parte do peso que, sei, está sufocando o seu coração e atormentando a sua alma.

Ele concordou. O delegado deu início às perguntas, sob a observação silenciosa do promotor Roberto Santana e do defensor público João Meira, com o tilintar frenético da máquina do escrivão Calixto Moreira, ao fundo, registrando tudo a termo.

— Qual o motivo que o levou a cometer aqueles crimes, tirando a vida de quatro membros da sua família?

A resposta saiu seca, com uma única palavra, sem rodeio e, de certa forma, surpreendeu e desconcertou o delegado Paulo Carvalho.

— Dinheiro.

— Dinheiro?

Carvalho argumentou que a ambição pura e simples não era motivo suficiente para ele tirar a vida do pai e, por extensão, dos outros parentes, porque ele seria beneficiário de parte significativa da herança de Fernando Moura Maia quando este viesse a morrer naturalmente e que ele sabia que isso aconteceria em poucos meses. E insistiu:

— Não, Marcílio. A gente sabe, e você mais do que ninguém, que o motivo não foi só o dinheiro. Vai muito além da sua ambição. Até porque, você descobriu o segredo do cofre da casa e estava furtando valores significativos para pagar as contas da namorada e a droga que consumia. E sabia que poderia esperar a morte do seu pai, que estava com os dias contados. Portanto, dinheiro não era o seu problema, existe um motivo a mais. Além da herança, por favor, responda sem rodeios, por que você queria tanto eliminar o seu pai?

— Porque ele não prestava, doutor. Ele não prestava...

26

Depois dos reveses sofridos durante a cobertura do crime, o *Diário da Tarde* apontou suas baterias contra o delegado Paulo Carvalho. Chegou a pedir em editorial o seu afastamento, alegando "incapacidade moral e profissional para continuar no cargo". Abriu manchete denunciando as condições especiais em que Marcílio se encontrava preso, "uma verdadeira afronta aos familiares e à sociedade". A manchete da página policial era pura leviandade: "Assassino da rua Dallas tem mordomias na cadeia". O secretário de Segurança, mais uma vez, ligou para Carvalho cobrando uma resposta, frisando que o governador "estava perdendo a paciência com ele" e que Marcílio não deveria ter nenhum tipo de regalia na cadeia, exigindo a sua transferência imediata para uma cela comum.

— Delegado, pelo visto o senhor continua dificultando as coisas para o governo. É inadmissível que o senhor esteja dando vida fácil a esse monstro na cadeia. Trata-se de um réu confesso, que cometeu um dos crimes mais bárbaros de que se tem notícia e que chocou profundamente a opinião pública. O governador acaba de me exigir que essa situação seja corrigida o mais rapidamente possível para que a nossa instituição policial e o governo não sejam mais desmoralizados do que já foram nesse episódio.

— Não foi o que o senhor me disse quando ligou para me parabenizar pelo desfecho do caso. Agora, mais do que nunca, eu estou me lixando para a sua paciência e para a paciência do governador. Fodam-se. Faça o que o senhor quiser, mas não esqueça de assumir as consequências. Não estou aqui acobertando criminoso algum. Estou apenas fazendo o meu trabalho direito.

O delegado Carvalho relatou ao secretário as condições de saúde em que Marcílio Moura Maia se encontrava e os riscos à sua integridade física, inclusive de morte, caso fosse colocado na mesma cela ao lado de outros presos, naquele primeiro momento. Seria "justiçado" na certa, segundo as regras da cadeia. E informou que já estava finalizando o interrogatório e que dentro de três ou quatro dias ele seria transferido para a Casa de Detenção, onde aguardaria julgamento, ficando a responsabilidade, dessa maneira, fora da sua alçada.

— Mas enquanto ele estiver aqui na minha delegacia, secretário, a responsabilidade pela vida dele é toda minha. A não ser que o senhor queira contabilizar mais um Moura Maia morto.

O secretário conteve o ímpeto autoritário e calou-se. Bateu o telefone. Sabia que o delegado tinha um trunfo forte contra ele nas mãos. Carvalho, por sua vez, havia esticado demasiadamente a corda na sua relação com o secretário e precisava tomar algumas providências antes das retaliações que certamente já estavam a caminho. Ligou para a dra. Cristiane Betini e pediu o número do telefone direto do seu namorado, o jornalista Rafael Teixeira. Ligou para o editor do *Jornal da Bahia* e pediu a sua ajuda para contrapor aos ataques do *Diário* e a vingança do seu superior imediato. Deu as explicações por ter colocado Marcílio numa cela especial mesmo sem ele ter direito uma vez que não tinha curso superior e disse que tinha uma "munição pesada" contra o secretário de Segurança, que faria muito estrago na briga do jornal com o governador. Só que não poderia falar por telefone. Marcaram um encontro às 10 da noite num restaurante pouco frequentado. Rafael foi acompanhado da dra. Cristiane.

O delegado levava consigo uma pasta contendo informações sigilosas sobre o envolvimento do secretário com o bicheiro Ailton Sandoval Feitosa, conhecido no mundo da contravenção como "Coronel Val", embora fosse capitão reformado do exército. Val herdou do sogro, de quem era braço direito — vítima de assassinato — os principais pontos de jogo do bicho da cidade, ampliou e diversificou os negócios e tornou-se não apenas o mais poderoso bicheiro, mas também homem muito influente no submundo político da Bahia. A campanha fracassada do secretário de Segurança para deputado federal foi totalmente financiada pelo coronel Val, que não logrou elegê-lo, mas conseguiu nomeá-lo para o cargo que ele passou a ocupar no primeiro escalão do governo.

— Imagine só, Rafael, uma raposa cuidando do galinheiro, sob a supervisão do lobo mau.

— Mas, delegado, isso não é novidade pra ninguém, difícil é provar.

— Era difícil. Tudo o que você precisa para detonar esse filho da puta está aqui nesta pasta.

O delegado Carvalho relatou ao casal o episódio ocorrido no domingo à tarde na mansão do secretário no Caminho das Árvores e a ameaça que recebeu caso não desse o desfecho que o governador queria para o crime da rua Dallas. A ameaça só não foi consumada porque Carvalho contra-atacou afirmando que contaria tudo ao *Jornal da Bahia* e insinuou que também sabia do envolvimento dele com o jogo do bicho, até pela sua condição de delegado bem informado.

— Naquele momento, a raposa se transformou num cordeiro e eu pude fazer o meu trabalho em paz. Ele até ligou depois me parabenizando pela maneira "profissional e eficiente como resolvi o crime". Além de corrupto, é um cínico.

Paulo Carvalho sempre foi um dos delegados mais queridos da Polícia Civil e recebia de outros policiais honestos informações sobre o envolvimento do secretário e de alguns políticos com o crime organizado que explorava o jogo do bicho e casas de prostituição. Seu amigo, o também delegado Olinto Costa, foi demitido da Delegacia de Jogos e Costumes porque não se submeteu às ordens do secretário de Segurança para não interferir nos "negócios" do coronel Val. Em suas investigações, Olinto acumulou uma quantidade significativa de provas, com gravações, fotos, depoimentos e livros-caixa, registrando propinas para políticos, juízes, policiais e para o próprio secretário de Segurança. Olinto Costa morreu numa tarde de domingo, num misterioso acidente de carro, quando retornava do seu sítio, provavelmente numa operação "queima de arquivo". Antes da sua morte, porém, Olinto havia repassado ao amigo Paulo Carvalho um dossiê com todas as provas que tinha em mãos e disse-lhe que estava temendo a possibilidade de sofrer algum tipo de atentado.

— Evidentemente, Rafael, o meu nome não pode de maneira alguma aparecer nessa história, porque aí o que vai estar em jogo não será apenas o meu cargo, mas a minha vida ou de alguém da minha família. Veja o que aconteceu com Olinto.

O jornalista Rafael Teixeira garantiu sigilo absoluto ao delegado e afirmou que a partir daquele momento começava a contagem regressiva para o secretário de Segurança e os deputados envolvidos no esquema, todos ligados ao grupo político do governador.

— Vamos denunciar tudo, Carvalho. Não sei muito bem o que vai acontecer com esses corruptos safados, porque infelizmente ainda vivemos numa ditadura e este não é um país sério. Mas de uma coisa o senhor pode ter certeza. Se o senhor tiver de ser afastado da sua delegacia, eu garanto que não vai ser esse secretário de segurança corrupto que vai demiti-lo. Ele cai em uma semana.

Dois dias após o encontro entre o jornalista Rafael Teixeira, a dra. Cristiane Betini e o delegado Paulo Carvalho, estourou o escândalo com as denúncias de envolvimento do secretário de Segurança e vários políticos com o crime organizado. As provas publicadas pelo *Jornal da Bahia* não deixavam dúvidas. A chacina da rua Dallas, pela primeira vez em uma semana, deixava de ser o assunto principal na imprensa. As desculpas dos políticos, apesar das evidências irrefutáveis, seguiam a máxima de sempre: perseguição política. Atribuíam as "falsas denúncias" à briga entre o jornal e o governador. O delegado Paulo Carvalho estava exultante. Mais do que sua vingança particular contra o secretário corrupto que o perseguia, abria-se a possibilidade de a morte do seu amigo, o delegado Olinto Costa, ser investigada a fundo pela Polícia Federal. Entre as provas apresentadas, a compra da casa do secretário era o carro-chefe das denúncias, cuja propriedade estava em nome de um "laranja", um trabalhador rural de uma de suas fazendas de cacau no sul da Bahia, que não sabia ler nem escrever.

O secretário tinha muito o que explicar. Em cinco anos acumulou uma fortuna incompatível com os seus ganhos. Era de família de classe média baixa, não tirou a sorte grande na loteria, não herdou fortuna, nem casou com mulher rica, mas possuía um patrimônio invejável. Evitou ir à

Secretaria de Segurança, onde o assessor de imprensa se via às voltas com os jornalistas que queriam ver e ouvir as explicações do próprio secretário. Em casa, ao atender a primeira e única de inúmeras chamadas ao telefone, ele não teve dificuldade em adivinhar quem estava do outro lado da linha. Era o governador, pronto a destilar toda a sua ira.

— Seu incompetente. Você acha que eu tenho como segurar essa? Como é que você deixou tantos buracos em suas falcatruas? E ainda por cima a morte do delegado. Você faz ideia da merda que vem pela frente? O senhor é o único responsável e a partir de agora não é mais secretário no meu governo. Advirto-o sobre o que o senhor vai declarar daqui em diante, sob pena de as coisas piorarem ainda mais para o seu lado. O senhor está me entendendo?

A ameaça não deixava dúvidas sobre o que poderia acontecer com o agora ex-secretário, caso resolvesse abrir a boca e contar tudo o que sabia. O esquema do Capitão Val caiu e com ele quase todos os envolvidos. A polícia fechou casas de prostituição e fez uma devassa nos pontos de jogo do bicho. Um juiz federal expediu mandados de prisão, busca e apreensão que foram executados pela Polícia Federal vinte e quatro horas após as denúncias. Quase todos os envolvidos foram presos, acusados de lavagem de dinheiro, corrupção ativa e passiva, exploração de jogo ilegal e prostituição, peculato, assassinato e formação de quadrilha. Entre eles, o bicheiro e o próprio secretário, que apareceu no noticiário da TV e nas primeiras páginas dos jornais tentando esconder as algemas em vão. O secretário não temia mais pela reputação perdida. O medo de ser preso não se limitava apenas à perda da liberdade, mas a certeza de que seria assassinado dentro da própria prisão. Negou-se a responder o interrogatório na PF, reservando-se ao direito de só falar perante um juiz. Seu advogado entrou com pedido

148

de relaxamento de prisão e cinco dias depois estava livre, com a proibição de sair da cidade. O secretário tinha consciência de que seus dias estavam contados e fugiu do país. Possuía dinheiro depositado em paraísos fiscais, suficiente para garantir a ele e sua família continuarem com a vida boa fora do Brasil.

O delegado Paulo Carvalho ligou para Rafael Teixeira e agradeceu. Sentia-se plenamente vingado.

27

O delegado inquiriu Marcílio sem pressão, sem ameaças e sem os gritos tão comuns nos interrogatórios da polícia brasileira. Fazia perguntas pontuais e em tom brando, como um padre ouvindo a confissão de um cristão pecador. Estava convicto de que para penetrar na alma de uma pessoa tão perturbada seria necessário ganhar a sua confiança com um jeito muito peculiar. Agia muito mais como um psicólogo numa sessão de análise do que um policial acostumado com a brutalidade que o seu ofício às vezes impõe. E conseguiu.

— Seu pai não prestava por que, Marcílio? Ele era um homem trabalhador, honesto, que chegou muito jovem ao Brasil, deu duro, construiu um nome e uma fortuna. Por que é que seu pai não prestava?

Marcílio disse ao delegado que tinha consciência de que cometeu uma estupidez abominável. Queria matar o pai e o irmão tão somente. Este, para que levasse a culpa. A morte dos outros familiares não estava nos seus planos. Mesmo assim acreditava que estava libertando todos da infelicidade que era conviver sob o domínio opressor de Fernando Moura Maia. Revelou que se sentiu arrependido quando retornou à sua casa na manhã do crime e viu a expressão de sofrimento no rosto da irmã, mas já era tarde. "Tinha que sustentar a minha história até o fim."

— Nunca gostei do meu pai por uma razão muito simples: ele nunca gostou de mim. Tratava-me como um pária, era incapaz de um gesto de carinho, de reconhecimento, de ternura, uma coisa que deveria ser tão natural entre um pai e um filho. A sua indiferença me sufocava e eu passei a vida inteira buscando uma razão pra todo aquele desprezo. Com Vânia e Nei ele tinha algum tipo de diálogo, porque eles sempre se submeteram às suas ordens, nunca o questionaram, e como ele mesmo fazia questão de frisar sempre, "nunca lhe deram trabalho". O pobre do João, se ele pudesse, teria matado, como se aquele filho fosse culpado pela loucura que padecia. Meu pai, doutor, pagava os remédios, mas não fazia o menor esforço para que ele tivesse um tratamento psiquiátrico digno. A coitada da Mariá vinha sendo criada como um bicho, porque nasceu daquele jeito e ele não perdia a oportunidade de culpar minha mãe, como se metade de Mariá não fosse parte dele também. Ele nunca a pôs no colo, nunca lhe comprou um brinquedo, nunca lhe contou uma história para dormir. Minha mãe sofreu muito, doutor. Vivia isolada, principalmente depois da morte do meu avô Manoel, por quem ela tinha verdadeira adoração e nunca lhe contou nada sobre o convívio difícil que tinha com o meu pai. Sem saber o que acontecia no dia a dia lá de casa, meu avô considerava o meu pai um ótimo chefe de família. Ela tinha medo de sair para visitar uma amiga, fazer compras ou dar um passeio pela cidade. Só saía de casa para ir à igreja, assim mesmo acompanhada de Afrânio ou aos domingos ao lado dele. Os dois viviam num silêncio quase absoluto. Mal se falavam. Que tipo de marido era aquele, doutor? Um homem vazio de palavras e emoções, indiferente aos nossos sentimentos. Esse foi o pai que eu matei. O ódio que eu tinha por ele sempre esteve aqui, entalado na minha garganta, sufocando o meu coração, me tirando o ar e alimentando em mim os piores pensamentos. Eu queria o dinheiro dele, sim, confesso. Seria a minha vingança pelo pai ruim que ele sempre foi. Mas o queria morto, porque desde criança sempre achei que ele não merecia viver. Quando soube da sua doença, disse para mim mesmo: "essa vida não pode ser tirada por Deus, seria uma bênção. Tem que ser tirada por mim".

As palavras de Marcílio deixavam perplexos todos os que estavam na sala ouvindo o interrogatório. À medida que falava, ficava cada vez mais evidente que estavam lidando com alguém que já não tinha mais controle sobre suas faculdades mentais. O delegado quis saber que tipo de drogas havia consumido naquela noite e por que ele estendeu o ódio que tinha pelo pai aos outros familiares, matando-os sem piedade. Marcílio afirmou que bebeu muito, fumou maconha, cheirou mais de cinco gramas de cocaína e pretendia matar apenas Fernando e João. Declarou que a morte da mãe e da avó foi por mero impulso da loucura que o acometia naquele momento.

— Eu estava muito louco, doutor, e aquela voz não parava de martelar na minha cabeça. Ficava repetindo o tempo todo que aquela era a minha chance de provar que eu era capaz de fazer alguma coisa surpreendente na vida e que eu tinha de dar uma lição merecida no meu pai, já que João em seu diário confessou que a voz da freira o impedia. A cada dia que passava aquela voz foi tomando conta de mim e me dando coragem. Estava com a adrenalina jorrando pelos poros. Logo após acertar meu pai, minha mãe acordou assustada e apertei o gatilho contra ela. Eu não queria matá-la, mas também não queria que ela soubesse que eu estava fazendo aquilo. Quanto à minha avó, ela simplesmente apareceu no meu caminho e continuei atirando, ela apenas balbuciou "ai, meu Deus" ao me ver com a arma na mão. Com João, não. Com ele, agi consciente. Não o matei por ódio. Matei pelo grande amor que tinha por ele. Li todo o seu diário e era o único que conhecia o seu sofrimento intimamente. Sabia o quanto aquelas vozes o perseguiam e o atormentavam sem tréguas e que só ficaria livre delas depois de morto. Imaginei que, ao tirar a sua vida, o libertaria definitivamente das alucinações e lhe devolveria o sossego para que pudesse viver, livre, em outra dimensão. Planejei tudo, sim, para que ele fosse apontado como culpado, porque achei que todos acreditariam, inclusive a polícia. A ideia sempre foi essa, doutor. Meu pai morto e João, "o assassino", morto. Os outros foram acidente de percurso.

Carvalho quis saber mais detalhes sobre as "vozes" que ele dizia comandarem as suas ações. E até que ponto Marcílio não estava querendo induzi-lo a acreditar que também era doente mental, o que o tornaria incapacitado a responder pelos crimes e, portanto, inimputável.

— Quando você começou a ouvir essa voz? Você lia o diário de João e sabia que as vozes eram fruto da imaginação dele, por causa da doença mental. Por que você não desconsiderou a ordem da voz, se sabia que era pura imaginação? Você acha que também é esquizofrênico?

— Não sei. Comecei a ouvir a voz ultimamente, doutor. Ultimamente. Comecei a cheirar cocaína para ver se as vozes sumiam.

Carvalho não ficou convencido com a resposta e perguntou sobre detalhes do plano, a compra das armas, como conseguia a droga. E, sobretudo, se Íris sabia do plano e se o ajudara de alguma maneira. Marcílio disse que Íris não teve nenhuma participação e que colocou remédio no copo de conhaque para ela dormir e não acordar enquanto ele saía para cometer os crimes. Revelou que teve muita facilidade em comprar o rifle na loja Colt 45. Levou a carteira de identidade e se passou pelo irmão e que quando foi assinar o registro da arma na Polícia o funcionário não notou a diferença entre ele e a foto já antiga do documento que apresentou. Contou que adquirir o revólver foi mais fácil ainda e que pagou uma mixaria pela arma ao traficante que lhe fornecia cocaína.

— O senhor quer saber quem é ele? O nome dele é Marcão, um cara com o cabelo pintado de loiro, com sotaque de paulista, que toda noite faz ponto na boate Anjo Azul, no Largo Dois de Julho. Eu comprava em média uns vinte gramas por semana.

O delegado disparou a ordem e dois agentes policiais seguiram às 11 da noite para capturar o traficante. Marcão foi preso em flagrante com trinta papelotes de cinco gramas de cocaína e cerca de meio quilo de maconha na mochila. Como o tráfico de drogas não era da alçada da circunscrição de Carvalho, ele interrogou Marcão e o indiciou como cúmplice dos assassinatos da família Moura. Em seguida o encaminhou para a Delegacia de Tóxicos e Entorpecentes, onde foi fichado como o primeiro traficante de cocaína que se tem notícia na Bahia. Os grã-finos que cheiravam "socialmente" a nova droga da moda continuaram a buscá-la diretamente em suas viagens ao sul do país.

28

Marcílio cultivava cabelos longos, negros, caídos na testa, ao estilo de jovens roqueiros famosos da época e de cantores brasileiros que faziam sucesso na onda da "jovem guarda", movimento musical liderado pelo cantor Roberto Carlos. O sentimento de indignação e ódio coletivo que tomou conta da população após o crime transformou-se com o passar dos dias em curiosidade. E da curiosidade à idolatria. Centenas de pessoas, principalmente garotas adolescentes, se aglomeravam na porta da delegacia gritando o seu nome e almejando uma oportunidade para ver de perto aquele rapaz bonito, rico e cabeludo, que não cantava, não tocava guitarra e até então nunca havia feito sucesso com as mulheres. As fotos e imagens de Marcílio sendo retirado da viatura policial algemado mostravam um jovem alto, magro e de feições incomuns, tiveram um efeito devastador no imaginário de jovens entre catorze e vinte anos, concentradas em frente à delegacia, esperando a possibilidade remota de poder vê-lo de perto e ao vivo. Não o tinham mais como o assassino frio que matou quatro pessoas da sua família. O viam, agora, à semelhança dos roqueiros transgressores, cujas músicas sabiam de cor e tinham seus cartazes pregados nas paredes do quarto e em capas de cadernos escolares. Gritavam seu nome como se clamassem pela atenção improvável de um ídolo. Pediam a policiais que entravam na delegacia para conseguir autógrafos e até mesmo que o libertassem, alienadas ante a gravidade do que ele realmente representava. Era uma espécie de estado de transe coletivo, aparentemente inexplicável à luz da psicologia, como se o criminoso diferenciado incorporasse uma resposta radical à opressão familiar em que muitas daquelas jovens viviam. Era a rebeldia sufocada buscando a sua vazão.

O carcereiro Heliodoro Alves desceu ao porão da delegacia onde ficava o xadrez e fez um comunicado aos presos em tom de ameaça, preparando o terreno para a chegada de Marcílio, que não ficaria mais na sala contígua ao gabinete do delegado. A regalia de cela especial chegara ao fim. Ele não tinha diploma universitário, a abstinência estava controlada e já havia dormido o suficiente para recobrar as forças e a lucidez. O carcereiro avisou aos outros presos que o delegado não admitiria qualquer ato de violência contra o "novo inquilino" e que todos seriam responsabilizados caso alguma coisa acontecesse com ele. Depois de seis horas de interrogatório ininterruptas, Marcílio foi informado que iria para uma cela com os outros presos, enquanto aguardasse a remoção para a Casa de Detenção, onde viveria nos próximos anos até o seu julgamento.

— O garotão maluco que matou a família vai descer daqui a pouco. O delegado mandou avisar que quem tocar num fio de cabelo dele vai se ferrar. Aliás, todo mundo que está aqui dentro. Portanto, já que vocês não são malucos como ele, o melhor é não fazer besteira. Estamos conversados? — avisou o carcereiro.

Havia dezenove presos na cela com capacidade para no máximo dez. Marcílio procurou um espaço ao lado da grade e sentou-se. Abriu a Bíblia numa página aleatória e deparou-se com o versículo 21:4 do Livro do Apocalipse:

> *Ele enxugará de seus olhos todas as lágrimas; e não haverá mais morte, nem haverá mais pranto, nem lamento, nem dor; porque já as primeiras coisas são passadas.*

Resignou-se. O calor e o mau cheiro provocado pelo suor e flatulência dos presos, além dos restos de comida azeda das "quentinhas" jogadas nos cantos, sinalizavam o inferno que ele viveria nos próximos dias. Um dos presos o provocou falando indiretamente com outro ao seu lado.

— Matar o pai, tudo bem. O meu eu não matei porque não conheci o infeliz. Agora, matar a mãezinha é foda. Apodrecer aqui dentro é pouco pra esse desgraçado. Tem mais é que morrer, e morrer aos pouquinhos.

Marcílio não se manifestou. Outro preso, que havia assassinado um cobrador de ônibus durante um assalto, mandou que saísse de onde estava porque o espaço junto à grade da cela tinha dono e o lugar era dele. Ao levantar-se, Marcílio foi empurrado de encontro a outro detento, que o devolveu aos braços de outro como um "boneco teimoso", até que alguém lembrou a advertência do carcereiro e o deixaram em paz. Ele se ajeitou no fundo da cela e permaneceu encolhido lendo a Bíblia. Recebeu a refeição da noite: arroz, feijão, salsicha e um líquido que, com muito esforço, lembrava laranjada. Comeu, bebeu e dormiu sentado.

Permaneceu por mais três dias no xadrez da Homicídios até ser transferido para a Casa de Detenção, onde pôde ter um pouco mais de "conforto". Foi colocado numa viatura que saiu pela porta dos fundos, evitando a multidão em frente à delegacia. O pedido de transferência foi agilizado pelo defensor público João Meira e prontamente atendido pelo delegado, após receber o alvará do juiz Lourival Catucci, incumbido, por sorteio, de presidir o seu julgamento que só aconteceria num prazo de dois ou três anos.

Três dias após a transferência, Marcílio recebeu a primeira e única visita de Vânia. Nei nunca mais teve contato com ele. Ao ver o irmão trajando o uniforme cinza comum a todos os presos da Casa de Detenção, de cabelos raspados, mais magro e de aparência envelhecida, ele lhe pareceu um estranho. Tentou esforçar-se para ter à sua frente o irmão que viu nascer, viu crescer, com quem brincou e cuidou como se fosse uma de suas bonecas. O irmão que um dia amou. Não conseguia, era outro Marcílio. Sentaram-se frente a frente e em momento algum ele ergueu a cabeça para encarar a irmã. Ela quis saber se ele estava bem, se havia lido a sua carta e se estava lendo a Bíblia que havia deixado. Ele apenas balançou a cabeça afirmativamente. Quis saber se ele precisava de alguma coisa e ele negou também com um movimento da cabeça. Ela tentou pegar em suas mãos postadas sobre a mesa e ele recolheu. Vânia não tinha mais nada a fazer ali. Levantou-se e despediu-se:

— Adeus. Fique em paz.

A introspecção que o acompanhou a vida inteira se tornaria um fator favorável à sua sobrevivência no presídio. Não conversava com os presos nem com os funcionários, não recebia visitas nem cartas. Apenas o advogado João Meira ia visitá-lo a cada quinze dias para tratar da defesa, levar pequenas quantias em dinheiro enviadas por Vânia, pacotes de cigarro e alguns alimentos não perecíveis. Lia a Bíblia todas as noites e começou a escrever um diário, a exemplo do que fazia o seu irmão João. Como não conversava com ninguém, passou a falar sozinho no pátio, durante as horas do banho de sol. Procurava um canto e, como um judeu ortodoxo no Muro das Lamentações, ficava falando e gesticulando, como se conversasse com alguém ausente. Eram sinais nítidos de que poderia ser portador de esquizofrenia.

29

O defensor público João Meira não tinha dúvida sobre a insanidade mental de Marcílio Moura Maia. Para ele, o ato de planejar e matar friamente quatro membros da uma família não poderia ser atribuído de maneira alguma a alguém mentalmente normal. Por maior que fosse o seu desprezo pelo pai e a sua ambição em herdar parte da fortuna para desfrutá-la como bem lhe aprouvesse, ele não poderia estar com o domínio pleno das faculdades mentais durante todo o processo de planejamento e execução dos parentes. Tratava-se de um ato inquestionável de loucura. Ao observá-lo durante o interrogatório, o advogado, mesmo leigo nos assuntos da psiquiatria, percebeu que Marcílio tinha comportamentos e características com fortes indícios de ser ele também portador de esquizofrenia, provavelmente manifestada havia pouco tempo. Ele sempre foi um rapaz calado, entrava e saía de casa sem que soubessem o que fazia após o expediente do trabalho na loja ou com quem se relacionava. Não demonstrava emoções e não conseguia modular o afeto de acordo com o contexto em que vivia, mostrando-se sempre indiferente às diversas situações do cotidiano. Meira pesquisou a literatura médica sobre psiquiatria e mergulhou fundo no tema esquizofrenia. Descobriu que a doença caracteriza-se por uma grave desestruturação psíquica, em que a pessoa perde a capacidade de integrar suas emoções e sentimentos com seus pensamentos, podendo apresentar delírios e alucinações, ou seja, crenças irreais, percepções falsas do ambiente e comportamentos que revelam a perda do juízo crítico. E que os portadores dificilmente cometem violência física contra outras pessoas.

Isso o intrigava.

O defensor público, então, passou a aventar a possibilidade de que um portador de esquizofrenia poderia alterar esse padrão de comportamento e tornar-se um assassino frio, se também fosse consumidor de drogas como álcool, maconha e, principalmente, cocaína ou a combinação de todas elas. Como Marcílio confessou ao delegado que na noite do crime havia bebido, fumado e cheirado antes de consumar a matança, a possibilidade de que o uso combinado dessas drogas com a provável esquizofrenia poderia, sim, ter potencializado instintos violentos. Por não ser médico psiquiatra, portanto relativamente ignorante no assunto, só mesmo o parecer abalizado de um especialista confirmaria ou não essa hipótese. João Meira procurou o dr. Rogério Coutinho, renomado psiquiatra e especialista em medicina forense, para tirar suas dúvidas sobre a doença e se o uso de drogas alterava o comportamento de um esquizofrênico a ponto de torná-lo um assassino frio e calculista.

O médico, a princípio, confirmou tal possibilidade a João Meira. Mas acrescentou que pelas características do crime, o autor poderia ser psicopata, ou seja, pessoa com desvio de caráter, ausência de sentimentos genuínos, frieza, insensibilidade aos sentimentos alheios, manipulação, egocentrismo, falta de remorso e culpa para atos cruéis e inflexibilidade com castigos e punições. Segundo o psiquiatra, "um dos traços de comportamento que caracterizam a psicopatia é a ação em favor de um objetivo, ao contrário da psicose, que não tem ganho na realidade".

— Quanto mais psicopata a pessoa é, menos os outros percebem. Isso porque, ao desenvolver esse comportamento, ele cega quem está à sua volta, usa a sedução para atingir seus objetivos e age de forma dissimulada. Ela tem noção da realidade, do certo e do errado, embora seja incapaz de formular juízo moral. Não tem limites sociais, ultrapassa todas as barreiras. — O médico assinalou que, depois de cometer o crime, Marcílio retornou ao apartamento da namorada como se nada tivesse acontecido. — E isso é típico de um comportamento psicopata.

O advogado ficou ainda mais confuso. Seria Marcílio esquizofrênico ou psicopata? De uma coisa tinha certeza, ele não poderia ser julgado sem que a questão da sanidade mental deixasse de ser considerada. João Meira resolveu aprofundar seus conhecimentos psiquiátricos para poder fundamentar a sua defesa e, sobretudo, para lidar com Marcílio dali em diante até o julgamento. Foi pesquisar o assunto na Biblioteca Pública. Durante dias seguidos colocou à sua frente compêndios e passou a estudá-los como um aluno de medicina às vésperas de um exame. Descobriu que, embora alguns indivíduos com psicopatia mais branda não tenham tido um histórico traumático, o transtorno — principalmente nos casos mais graves relacionados a sádicos e *serial killers* — parece estar associado à combinação de três fatores: disfunções cerebrais/biológicas ou traumas neurológicos, predisposição genética e traumas sociopsicológicos na infância, como abuso emocional, sexual, físico, negligência, violência, conflitos e separação dos pais, por exemplo. E que todo indivíduo antissocial possui, no mínimo, um desses componentes no histórico de sua vida, especialmente a influência genética. Entretanto, nem toda pessoa que sofreu algum tipo de abuso ou perda na infância irá tornar-se uma psicopata sem ter uma certa influência genética ou distúrbio cerebral. Assim como não se deve afirmar que todo psicopata já nasce com essas características.

Portanto, a junção dos três fatores torna-se essencial. Sobre a esquizofrenia, viu que existem tipos e graus diferenciados da doença e que alguns pesquisadores acreditam que os eventos ambientais podem desencadeá-la nas pessoas que geneticamente já apresentam risco de ter a doença, que possui uma grande variedade de sintomas. Geralmente, o transtorno se desenvolve lentamente durante meses ou anos. Assim como outras doenças crônicas, a esquizofrenia se alterna entre fases com menos e mais sintomas. O esquizofrênico tem problemas para dormir ou se concentrar e alucinações, geralmente com vozes. Torna-se uma pessoa isolada e reservada e tem problemas para fazer novas amizades ou manter as anteriores. Apresenta também problemas relacionados à ansiedade, depressão e pensamentos ou comportamentos suicidas.

Pelo que apreendeu, o advogado João Meira chegou à conclusão de que Marcílio possuía características relativas às duas doenças. Tanto podia ser esquizofrênico como psicopata. E sabia que um laudo médico pericial avaliando o seu estado mental não seria suficiente para definir qual o verdadeiro quadro da sua insanidade. De uma coisa, não tinha a menor dúvida: normal, ele não era. Muito menos cometeu o crime por ausência de sentido em decorrência do uso excessivo de drogas. O tempo, a convivência e a observação do comportamento dele na Casa de Detenção certamente lhe dariam as respostas que precisava para estabelecer os parâmetros da sua defesa. Mas João Meira teria que ser muito perspicaz para distinguir se Marcílio era esquizofrênico — e, portanto, deveria ter tratamento adequado — ou psicopata com um extraordinário poder de manipulação capaz de induzi-lo a um erro de avaliação. Ou nem uma coisa nem outra, o que o deixaria ainda muito mais confuso.

30

Desde que viu a primeira foto de Marcílio publicada nos jornais e as imagens dele na televisão, algemado e preso, Bartira Lopes Correia tornou-se não apenas admiradora, mas passou a idolatrá-lo como a um astro. Ela foi uma das jovens mais assíduas em frente à Delegacia de Homicídios para ver Marcílio de perto. Não conseguiu. Colecionou todos os recortes de jornais com matérias sobre o crime da rua Dallas. Foi conhecer de perto a casa onde ele morava e a loja onde trabalhava. Depois que ele foi transferido para a Casa de Detenção, escreveu-lhe várias cartas, onde dizia que estava sofrendo muito com a dor e a angústia que ele vivia naquele momento e que sentia o que se passava no seu coração. "Tudo isso aconteceu por que você, assim como eu, sempre foi incompreendido." Em todas, além de contar detalhes da sua vida, confessava o desejo de conhecê-lo pessoalmente e tornar-se sua amiga.

Bartira era uma garota de classe média, filha de um dentista com boa clientela e de uma professora do ensino médio. Fugiu de casa aos dezesseis anos, e viveu por três meses na aldeia *hippie* em Arembepe com outros jovens seguidores de uma seita xamânica, cujo líder se dizia capaz de interceder junto aos espíritos responsáveis pelos acontecimentos bons e maus. O guru, conhecido por Charles, o Divino, pregava a negação de valores morais impostos pela sociedade e pela família, como obediência irrestrita aos pais, virgindade e fidelidade no casamento. Considerava-se um Rasputin. Todos, além de fumar muita maconha, ingeriam um chá feito de cogumelos e passavam o dia inteiro na praia, completamente drogados. Ao pôr do sol, participavam de uma espécie de cerimônia mística, quando invocavam "a proteção do 'Luminoso', o deus de todos os deuses, soberano absoluto sobre a vontade dos homens e senhor maior entre todas as forças da natureza". Cantavam mantras e recolhiam-se às suas cabanas de palha para fazer sexo grupal durante a noite. Alguns faziam artesanato para vender nas praias, outros pescavam, colhiam cocos, preparavam a comida e havia os que não faziam absolutamente nada, além de passar o dia completamente drogados. Todas as noites, o "Divino" escolhia um rapaz e uma moça para fazer sexo e dormir com ele. Bartira, a mais nova do grupo, era uma de suas favoritas. Ela se sentia livre e prestigiada, sem obrigações, sem as cobranças diárias e recriminações do pai até que o guru descobriu que ela estava grávida e a expulsou do grupo. Foi encontrada pela polícia andando sem rumo pelas ruas e devolvida à família. Voltou para casa com um filho de dois meses no ventre, suja e magra, viciada e doente. Ficou internada durante quarenta e cinco dias numa clínica para desintoxicar-se e passou a ser vigiada com rigor durante toda a gravidez. O pai da criança, o Divino, foi preso por porte e tráfico de drogas, além de corrupção de menores. Nunca conheceu o filho, que nasceu com paralisia cerebral. Bartira tinha dezoito anos e aparentava ser mais velha. Não voltou a estudar e não trabalhava. Os conflitos com os pais agravavam-se a cada dia, principalmente pela desídia em relação ao filho, que exigia cuidados especiais. Nunca deixou o hábito de fumar maconha. Não foi expulsa de casa porque os pais temiam que ela cumprisse a ameaça de levar a criança junto.

Três meses após a transferência de Marcílio para a Casa de Detenção e depois de inúmeros pedidos, ele concordou e Bartira conseguiu uma autorização para vê-lo. Ela ficou eufórica e não via a hora de chegar o sábado para conhecê-lo de perto. Ele, isolado, sem visitas de amigos que nunca teve e parentes que o abandonaram, mostrou-se curioso para entender o interesse dela por alguém que certamente passaria grande parte da vida na prisão. Não imaginava que seria exatamente a prisão o elo que passaria a uni-los dali em diante. Bartira também se sentia aprisionada. Subjugada pelo pai com quem vivia em permanente conflito e condenada a cuidar de um filho indesejado, um fardo pesado demais para carregar na sua juventude perdida. Em uma de suas cartas, contendo uma foto na qual aparece de biquíni na praia, ela revelou que se apaixonara por ele e admirava a sua coragem, "por ele ter encontrado o caminho que o libertou do desprezo e da indiferença, mesmo que para isso fosse obrigado a pagar com a prisão do seu corpo. Mas o que importava é que a sua alma estava livre". Dizia que entendia o quanto é assustador viver num labirinto onde vontades alheias interrompem sonhos e sufocam desejos. "É assim que eu me sinto e imagino que foi assim com você a vida inteira." Marcílio gostou do que viu e refletiu sobre o que leu.

Seus dias na prisão eram do mais absoluto isolamento. Dividia a cela com outros quatro presos, todos homicidas como ele, que também aguardavam julgamento. As visitas do advogado João Meira e as cartas de Bartira eram os seus únicos contatos com o mundo exterior. Dormia sempre às nove da noite, depois de ler alguns trechos da Bíblia, que continuou abrindo aleatoriamente como fez desde a primeira vez, na cela da delegacia. Acordava muito cedo, por volta das 6 da manhã, e preenchia uma ou duas páginas no diário que começara a escrever, enquanto os outros presos ainda dormiam. Criou um código próprio para substituir o alfabeto, pois não tinha como escondê-lo na cela e não queria que ninguém soubesse do seu conteúdo. Deixou a barba crescer e voltou a cultivar o cabelo, que havia sido raspado quando deu entrada na prisão. Às 7 da manhã, tomava café no refeitório, sempre silencioso e isolado, e seguia com os outros presos para o pátio. Dirigia-se para o mesmo ponto próximo ao muro, onde passava as horas do banho de sol falando sozinho e gesticulando com as mãos e a cabeça. Lembrava João. Parecia ouvir vozes e conversar com elas. Nenhum preso ousava aproximar-se dele. De certa forma o temiam. Consideravam a sua loucura e o seu crime como razões mais do que suficientes para ficar afastados.

Seu defensor solicitou ao diretor do presídio para que observasse o comportamento de Marcílio e lhe fizesse um relatório detalhado sobre suas atividades e rotinas, se tinha ansiedade ou inquietações, se havia estabelecido relacionamento com outros presos, como se portava perante os funcionários e se estava exercendo alguma atividade dentro do presídio. João Meira queria subsídios para estabelecer um perfil mais preciso sobre a verdadeira personalidade de Marcílio. Em suas pesquisas na biblioteca, ele levantou uma terceira possibilidade para o seu quadro psiquiátrico, além da esquizofrenia ou psicopatia. Estudou a possibilidade de ele ser, tão somente, um psicótico. Descobriu que psicose é um quadro psicopatológico clássico, reconhecido pela psiquiatria, pela psicologia clínica e pela psicanálise como um estado no qual se verifica certa "perda de contato com a realidade". E isso, certamente, foi o que aconteceu com ele durante o planejamento e no instante em que disparou as armas. O psicótico, nos períodos de crises mais intensas, pode sofrer alucinações ou delírios, desorganização psíquica, pensamento desorientado, inquietude, sensações de angústia intensa, opressão e insônia severa. Todos esses sintomas são frequentemente acompanhados por uma falta de "crítica" que se traduz numa incapacidade de reconhecer o carácter estranho ou bizarro do seu comportamento. Nos momentos de crise, o psicótico tem dificuldades de interação social e em cumprir normalmente as atividades da vida diária. Ao concretizar a morte de quatro membros da família era exatamente esse o retrato de Marcílio Moura Maia. Porém, o fato de não poder enquadrá-lo como incapacitado mental, ou seja, como esquizofrênico ou psicopata, mas sim como um indivíduo sujeito a crises psicóticas eventuais, preocupava sobremaneira o defensor público João Meira. O psicótico necessariamente não é um louco desprovido de razão. Muitos indivíduos têm experiências fora do comum ou mesmo relacionadas com uma distorção da realidade em alguma altura da sua vida, sem necessariamente sofrer ou causar grandes consequências para ele ou outras pessoas. Como tal — à luz da medicina psiquiátrica — não se pode separar a psicose da consciência normal, mas deve-se encará-la como fazendo parte de uma "continuidade de consciência". Marcílio, portanto, sabia o tempo inteiro o que estava fazendo e quais seriam as consequências do seu ato. Hora alguma, esteve alienado da razão.

João Meira conversou com Marcílio sobre a estratégia que pretendia utilizar na sua defesa e pediu sua colaboração para submeter-se à análise de um psiquiatra que daria um parecer sobre o seu estado mental, o que seria decisivo para que a defesa pudesse ser fundamentada e obtivesse uma pena mais branda para os crimes que cometeu. Ele concordou.

Ao despedir-se do advogado, Marcílio pediu-lhe que enviasse tintas, pincéis, espátulas e telas. Queria preencher o tempo pintando.

31

Bartira quase não dormiu naquela noite de sexta-feira. Não via a hora de encontrar-se com Marcílio. Acordou de manhã cedo, trocou a fralda do filho, deu o peito para ele mamar e o recolocou no berço, dormindo. Ajeitou o cabelo, passou batom e ensaiou mais uma vez as primeiras palavras que lhe diria. Pôs numa sacola algumas maçãs, três maços de cigarro e uma revista de palavras cruzadas. Saiu de casa às 7 da manhã, antes que os pais levantassem da cama. A fila de visitantes era grande e ela era uma das últimas. Passou pela revista e disse o nome do detento que iria visitar.

— Marcílio Moura Maia.

— Você é o que dele? — perguntou o agente carcerário, num tom nada amistoso.

— Sou a namorada dele.

— Olha só, o maluco tem namorada! — comentou em tom de deboche com outro funcionário do presídio.

Amedrontada, ela apresentou a ordem de visita e entrou na Casa de Detenção, procurando localizá-lo entre presos e parentes no pátio. De longe, viu-o encostado ao muro, fumando. Seguiu ao encontro tão ansiado. Certamente era a mulher mais bonita que ele já havia visto. Tinha o semblante doce e uma magreza que acentuava a suavidade do seu andar. Ela lembrava Amélia, a namorada de Nei. Ficaram parados frente a frente, ele lhe ofereceu um cigarro, ela entregou-lhe a sacola. Os dois permaneceram calados, evitando o encontro de olhares. Bartira tomou a iniciativa e fez um comentário sobre a aparência de Marcílio, como se já o conhecesse e não o visse há algum tempo.

— Você está diferente de quando eu lhe conheci.

— Mas você nunca me conheceu — ele retrucou carinhosamente, deixando escapar um sorriso no rosto.

— Claro que não. Eu estou falando da sua foto no jornal e das imagens na televisão. Seu cabelo estava grande e caído na testa, parecia John Lennon.

— No dia em que eu fui preso, você quer dizer. Pois é, e agora eu estou de barba, talvez para me esconder de mim mesmo.

— Mas mesmo assim você continua muito bonito.

O comentário o fez lembrar-se quando conheceu Amélia na noite do crime e ela lhe disse que ele era mais bonito que o irmão. Marcílio gostou de Bartira no primeiro momento. Conhecia um pouco da sua história por meio das cartas que ela lhe enviou. Perguntou sobre a doença do filho. O rosto dela transfigurou-se. Disse que a criança estava com seis meses e nasceu com paralisia cerebral. Era um castigo, uma cruz que teria de carregar pelo resto da vida. Marcílio desconversou. Ela quis saber se poderia visitá-lo outras vezes. Ele concordou.

— Nesses três meses que estou aqui só recebi a visita do meu advogado. Minha irmã só veio uma vez e eu a entendo, não a recrimino por isso. Todos eles têm razão. Todos aqui me veem como louco e acho que têm medo de mim. Mas isso é até bom porque ninguém me importuna. E você, também acha que eu sou louco? Você não tem medo de mim?

Bartira ficou em silêncio por alguns instantes, aproximou-se dele até os corpos ficarem juntos, correu a mão pelo seu rosto, ergueu-se na ponta dos pés e o beijou suavemente no lábio.

— Não. Não acho você louco. Eu acho que você cometeu, sim, uma loucura. Uma grande loucura. Mas eu não quero e não vou julgá-lo, até porque eu imagino que você esteja sofrendo muito. Eu quero muito ficar ao seu lado. Não tenho dúvida de que um espírito do mal tomou conta do seu corpo e da sua mente e foi esse espírito que agiu naquele momento. Você foi apenas um instrumento utilizado por ele e não teve forças para impedi-lo. É isso o que eu acho.

Ela lembrou-lhe que também tem uma relação muito difícil com o pai dominador, com o qual não tem nem diálogo nem identidade.

— Nunca vi meu pai alegre, ele só chega em casa mal-humorado e reclamando de tudo. Eu sou filha única e acredito que essa deva ser a grande frustração dele. Por diversas vezes o vi dizer que se tivesse um filho homem não teria tantos problemas em casa como tem comigo. Foi por isso que fugi, mas ele acabou me encontrando. E tudo ficou ainda mais difícil depois que tive meu filho. Ele é lindo, mas não é um bebê normal, precisa de atenção e cuidados redobrados e não sei se estou preparada para isso.

Marcílio a abraçou e os dois se beijaram longamente. Ele confessou que pela primeira vez na sua vida sentia que alguém gostava dele de verdade. Mas afastou-se um passo atrás, desvencilhando-se do abraço.

— Mesmo com o remorso corroendo a minha alma e sabendo que nem o tempo, nem o arrependimento, nem os anos de cadeia que terei que cumprir serão capazes de curá-lo, essa tragédia colocou você no meu caminho. Mas de uma maneira equivocada. Eu não mereço essa bênção que o destino está me dando. Não mereço complacência alguma. Muito menos piedade. O melhor que você tem a fazer é me esquecer, não tenho nada a lhe oferecer, a não ser mais sofrimento, mais problemas, mais angústias. Siga o seu caminho, porque eu não tenho para onde ir nem posso levar você a lugar algum. Já fiz muita gente sofrer e não quero mais esse peso nos meus ombros.

Bartira segurou as suas duas mãos e disse que foi Deus que a levou até ele para que ela pudesse ter paz. E ele também.

— Eu sei que tudo isso pode parecer absurdo, mas eu não consigo ficar sem pensar em você um único segundo da minha vida. Isso tem que ter um sentido. Não me importa o que aconteceu ou que os outros, principalmente meu pai, possam pensar sobre você. Certamente vão dizer que eu também sou louca. E daí? O que importa mesmo é que eu sou louca por você e a gente pode ser feliz. Nunca fui certinha, nunca me conformei facilmente com as regras que os outros estabelecem. Sempre fui muito infeliz e não posso deixar escapar pelos dedos a chance que Deus está me dando de experimentar a felicidade pela primeira vez. Eu lhe escolhi, porque você é tão sofrido quanto eu. Eu só queria que você me escolhesse também.

Eles passaram duas horas juntos até que soou a sirene encerrando o horário de visitas. Bartira chorou. Ele enxugou as lágrimas que corriam pelo seu rosto com as mãos. E silenciou. Bartira o beijou suavemente e pediu para voltar no sábado seguinte. Ele concordou. Despediram-se. Marcílio acompanhou a sua saída com o olhar. Ela virou-se e acenou de longe. Saiu feliz e confiante e desapareceu por trás do portão de aço que dá acesso ao pátio do presídio.

O diretor da Casa de Detenção observou o encontro da janela da sua sala para colocar no relatório que estava preparando para o advogado João Meira. E comentou com o funcionário que havia permitido a entrada de Bartira no presídio:

— De maluco esse aí não tem nada.

32

O advogado foi ao presídio e levou o material de pintura que Marcílio havia solicitado e alguns livros de arte e técnicas de pintura. Vânia estipulou uma "ajuda de custo", no valor de um salário mínimo mensal para o irmão. Marcílio não comentou nada sobre Bartira e quis saber para quando estava previsto o seu julgamento. João Meira informou que não tinha previsão, que o processo estava correndo na Primeira Vara Criminal, mas acreditava que pela repercussão do caso, dentro de três anos, no máximo, ele iria a júri popular. Mas o principal objetivo da sua ida à Casa de Detenção, dessa vez, não era conversar com ele, mas sim colher informações sobre o seu dia a dia na prisão. O diretor do presídio revelou que ao longo da semana Marcílio tinha um comportamento esquisito. Passava o dia inteiro sem conversar com alguém, sempre falando sozinho e balançando a cabeça em frente ao muro, como se dialogasse com outras pessoas. Lia um pouco a Bíblia à noite, fazia as refeições isolado, dormia e acordava cedo. A direção da Casa de Detenção havia colocado um aparelho de tevê no refeitório e ele foi o único preso que não assistiu ao jogo de estreia do Brasil — na Copa de 70 — contra a Tchecoslováquia.

— A única coisa que mudou a sua rotina foi a visita, no sábado, de uma jovem bonita, que me pareceu ser a sua namorada. Eles conversaram por cerca de duas horas entre abraços e beijos, como dois apaixonados — exagerou o diretor.

João Meira mostrou-se intrigado. Deduziu que seria Íris.

— Como é essa moça? O nome dela por acaso é Íris?

— Como eu disse, é uma moça jovem, deve ter uns vinte anos aproximadamente, jeito suave. Não é Íris, não. O nome dela é Bartira, está aqui no relatório: Bartira Lopes Correia. Ele não comentou nada sobre a garota com o senhor?

O advogado achou estranho Marcílio começar o namoro logo no primeiro encontro com uma moça que até então desconhecia. Num primeiro instante, suspeitou tratar-se de uma aventureira, querendo virar notícia nos jornais. Pediu ao diretor para continuar observando-o e, caso ela voltasse para visitá-lo novamente, a entrevistasse para ver se descobria como e onde ela o conheceu e quais eram as suas intenções com ele.

Como havia prometido, Bartira foi ao presídio no sábado. Dessa vez, acordou com o dia ainda escuro, porque queria ser uma das primeiras a entrar para ficar mais tempo com Marcílio. Entrou, se identificou, passou pela triagem, mas antes de ser liberada foi "convidada" por um funcionário a comparecer à sala do diretor. Sem rodeios, ele iniciou uma série de perguntas:

— Bartira, é esse o seu nome, não é mesmo?

— É, sim, senhor.

— Quantos anos você tem?

— Vou fazer vinte.

— Seus pais sabem que você está frequentando um presídio?

— Não, senhor.

— Onde você conheceu Marcílio Moura Maia?

— Conhecer, conhecer mesmo, conheci aqui.

— Como assim? Você veio até aqui e disse que queria visitá-lo, é isso?

— Mais ou menos. Eu gostei dele desde o dia em que ele foi preso e vi as suas fotos no jornal. Fiquei apaixonada por ele. Por acaso estou cometendo algum crime?

— Você está pretendendo levar essa história até onde?

— Essa resposta só Deus é quem sabe. Já sou maior de idade, e ninguém pode me proibir.

— Vê como fala comigo. Maior porra nenhuma, mulher no Brasil só vira maior de idade depois dos vinte e um anos, você não sabia disso?

Bartira não se intimidou diante da autoridade do diretor e o enfrentou de forma desafiadora.

— Posso não ser "de maior", mas depois de dezoito anos já sou emancipada. Por acaso o senhor não sabia disso? E então, vou ou não vou poder vê-lo?

— Você sabe exatamente o crime que ele cometeu? Ele é um assassino frio que matou o pai, a mãe, a avó e o irmão. Ele é um louco que não tem nada a lhe oferecer. Você faz ideia com quem está se envolvendo?

— Sei e ninguém tem nada com isso. Ele está preso, vai ser julgado e vai pagar pelos crimes que cometeu. E ponto.

O delegado ficou impressionado com a determinação e a ousadia de Bartira. E a liberou para o seu encontro com Marcílio. Pela janela da sua sala ficou observando os dois conversando sentados no chão, junto ao muro. Ficou imaginando o que levava uma jovem, que lhe parecia de boa família, encantar-se por alguém como ele. Lembrou-se da sua filha, da mesma idade de Bartira, e imaginou o desgosto que teria se fosse ela que estivesse ali, nas mãos sujas de sangue de um homem que deu cabo de metade da própria família. Em seu relatório para o defensor público fez uma observação subjetiva: "ou essa menina é louca ou sabe perfeitamente o que está fazendo".

Bartira atravessou o pátio e seguiu direto para o mesmo lugar do primeiro encontro. Marcílio estava sentado de costas com o rosto virado para o muro. Ela cobriu-lhe carinhosamente os olhos com as mãos e brincou de adivinhação. Sentou-se ao seu lado acreditando que ele havia gostado da "surpresa". Ele parecia tenso. Permaneceu calado, sem olhá-la.

— Você está triste? Não está feliz por me ver? O que foi que aconteceu? — As perguntas em série pareciam irritá-lo.

Marcílio segurou suas mãos e a recriminou por ter voltado ao presídio.

— Isso aqui não é lugar para você. Não podemos ficar juntos, porque eu não quero e não posso esperar nenhum outro sentimento das pessoas senão o desprezo. Nem mesmo piedade. Eu vivo, se é que isso é viver, em duas prisões. Essa que você vê cercada de muros e grades, repleta de almas manchadas de sofrimento; e a que existe aqui dentro de mim, muito mais cruel e desesperadora, porque está infestada de demônios que não posso dominar. O amor que você diz ter por mim é um outro tipo de loucura, diferente da que eu vivo agora, mas é loucura do mesmo jeito. A minha cabeça está a ponto de explodir com um turbilhão de vozes que não me deixam em paz, e são elas que controlam meus desejos e sentimentos. São as mesmas vozes que perseguiam o irmão que matei e agora me atormentam. Por isso, vá embora. Siga o seu caminho. Eu não sirvo para você nem para ninguém.

Bartira não esperava aquela reação. Pensou que depois de uma semana ele sentiria saudades e estaria ansioso para vê-la novamente. Enganou-se. Aquele desabafo em tom de desespero parecia definitivo. Em momento algum, ao longo da semana, considerara a possibilidade da rejeição. Rendeu-se, mas fez um pedido. Queria ser amada por ele uma única vez.

— Eu não quero forçá-lo a nada. Mas tenho um único pedido e você não pode me negar. Queria sentir o calor do seu corpo dentro de mim para guardar na lembrança. Eu sei que amar alguém como você vai de encontro a qualquer lógica, mas está acima das minhas forças e da minha razão. Não quero atormentá-lo, não quero ser uma dessas vozes que o perseguem. Só quero um único instante de amor com você.

Marcílio disse que iria pensar. Precisava de tempo. Quando estivesse preparado pediria ao seu advogado para conseguir um encontro íntimo e lhe escreveria. Bartira afagou o seu rosto e deixou o presídio antes do final da visita. Partiu chorando, mas esperançosa.

33

O comportamento ambíguo de Marcílio na prisão deixava João Meira confuso. Ao falar sozinho, ouvir vozes, isolar-se e até mesmo escrever um diário, comportava-se de forma semelhante ao irmão esquizofrênico. Mas, ao mesmo tempo, nas duas visitas de Bartira — observado de longe pelo diretor —, parecia um jovem normal ao lado da namorada. Qual dos dois era o verdadeiro? Essa era a grande dúvida do defensor público, que precisava da resposta para definir a estratégia da defesa.

— Marcílio, eu vou ser muito claro e franco com você. E espero que você aja da mesma maneira comigo. Para começo de conversa eu sou o seu advogado de defesa não por opção minha, mas porque sua família se negou a contratar um advogado para defendê-lo. Estou aqui por indicação da Defensoria Pública e tenho, por princípio, fazer o meu trabalho da melhor maneira possível. A sociedade e a imprensa colocaram você no cadafalso e a promotoria vai pedir pena máxima para todos os crimes que você cometeu, alegando que foram premeditados, por motivo torpe, sem direito de defesa às vítimas e que você tinha plena consciência do seu ato, ou seja, não estava privado da razão ou dos sentidos. Não tenha dúvida que vai ser uma defesa muito difícil. Portanto, nada de mentiras ou manipulações comigo. Nesse jogo, a nossa relação tem que ser franca e aberta.

O defensor público ameaçou afastar-se do caso se ele não colaborasse com a verdade. Revelou que havia pedido à direção do presídio para fazer um relatório sobre o seu dia a dia na prisão e queria esclarecer algumas dúvidas.

— Você ouve vozes? Que tipo de vozes e quando começou a ouvi-las?

— Como é que o senhor sabe disso?

— O diretor me relatou que você não se relaciona com ninguém e passa todo o período do banho de sol falando sozinho contra o muro. E me disse, também, que você andou recebendo a visita de uma moça, com quem parecia namorar. Quem é ela? É sua namorada? Como foi que você a conheceu?

Marcílio negou o relacionamento. Disse que não conhecia a moça e ficou surpreso com a visita e com a proposta de namoro.

— Ela parece que se apaixonou por mim depois que viu a minha foto nos jornais. Contou que ela deu plantão durante vários dias na porta da delegacia na esperança de me ver e alegou ser minha namorada para entrar aqui na Casa de Detenção. Ela voltou no último sábado e terminamos o que não começamos. Eu não falei nada com o senhor porque não tinha nada para falar.

Ele confirmou que realmente ouvia vozes, cada vez mais frequentes, e que isso vinha acontecendo havia alguns meses.

— São as mesmas vozes que João ouvia. Sei disso porque lia o seu diário. Todos que estavam na cabeça dele agora estão aqui atormentando a minha mente. E se não bastassem as vozes, as minhas dores de cabeça são cada vez mais frequentes e torturantes.

— E quando isso começou? Foi aqui na prisão ou antes dos crimes?

— Antes. A princípio eu pensei que era a minha imaginação influenciada pelo que lia no diário de João, mas as vozes ficaram mais intensas e dominadoras. Bebia, fumava maconha e cheirava cocaína para fugir delas, mas elas estavam cada vez mais agressivas e constantes. Foi a voz de Lourenço quem elaborou todo o plano, acredite em mim, doutor. Era o meu irmão quem deveria matar o meu pai. Ele escreveu isso num dos cadernos do seu diário. Como a voz da freira Suely não permitia, a voz de Lourenço passou a me pressionar para executar o plano. Foi isso o que aconteceu, doutor Meira. Só a voz dela me deixa tranquilo, como acontecia com João.

Marcílio chorou descontroladamente. João Meira estava impressionado com o relato. Ouviu o relato de um portador de esquizofrenia. Mas tinha dúvidas. Não descartou a possibilidade de uma representação, porque ele sabia que a doença o tornaria inimputável e poderia livrá-lo de uma condenação clássica. Convivendo com o irmão poderia muito bem ter aprendido a comportar-se como um doente mental. Se conseguisse provar que ele era louco, no máximo cumpriria pena internado por alguns anos para "tratamento" no Manicômio Judiciário. João Meira deixou o presídio disposto a tomar três providências: solicitar sua transferência imediata para o Manicômio onde poderia receber tratamento psiquiátrico, consultar seu amigo psiquiatra dr. Rogério Coutinho sobre a conversa que teve com Marcílio e falar com Bartira para que esclarecesse a história do namoro.

— Meu caro Rogério, estou precisando conversar com você com urgência. Quando você pode me atender?

— Quem diria que um dia você se renderia e pediria apoio psiquiátrico para tratar essa sua loucura irremediável.

Médico e advogado riram ao telefone e marcaram um encontro à noite.

— Eu estou precisando de apoio psiquiátrico, mas não é para mim, não. Queria conversar com você sobre Marcílio Moura Maia.

João Meira descreveu o que estava acontecendo com o seu cliente e dr. Rogério Coutinho, a princípio, não teve dúvidas em afirmar que era um quadro típico de esquizofrenia e que ele teria que ter acompanhamento adequado, inclusive com a prescrição de remédio para controlar a doença e minimizar os efeitos de prováveis crises. O médico se prontificou a examiná-lo na prisão para ter uma ideia melhor do seu estado. Dois dias depois, dr. Coutinho foi com o advogado à Casa de Detenção e conversou longamente com Marcílio. Confirmou o diagnóstico, mas não pôde receitar nenhum tipo de medicação, porque a entrada de psicotrópicos nos presídios dependia de autorização judicial. Com o laudo médico na mão, o advogado solicitou ao juiz Lourival Catucci a imediata transferência de Marcílio para o Manicômio Judiciário. O juiz negou. Exigiu que o promotor Roberto Santana fosse comunicado sobre a pretensão da defesa e que Marcílio fosse examinado por um médico psiquiatra indicado pelo Ministério Público. Meira concordou. O exame foi feito somente duas semanas depois e o laudo oficial contradizia o diagnóstico do dr. Coutinho. O defensor público João Meira perdeu a sua primeira batalha. Marcílio continuaria preso até o julgamento, sem os remédios necessários para silenciar as vozes e aplacar a ira dos demônios que — dizia — o atormentavam, principalmente nas crises, agora cada vez mais frequentes, segundo relatos do diretor da Casa de Detenção.

34

Não foi difícil para o advogado Meira conseguir o telefone da casa de Bartira. Ligou e ela mesma atendeu. Identificou-se e disse que precisava falar sobre Marcílio. Pediu para que não se preocupasse, mas o encontro seria muito importante para o bem-estar dele na prisão. Como ela não tinha com quem deixar o filho doente durante a semana, marcaram o encontro para o sábado pela manhã no escritório dele, no centro da cidade. Bartira acreditou naquele primeiro momento que era o sinal verde de Marcílio para terem o encontro íntimo tão ansiado por ela e, a partir daí, a possibilidade de iniciar o romance com o homem por quem — estava convicta — apaixonara-se. Frustrou-se quando o advogado revelou o objetivo. Queria que ela relatasse com detalhes como foram os encontros com ele durante as duas visitas. Ela não gostou. Achou que João Meira estava invadindo a sua privacidade. Com o traquejo de quem está acostumado a convencer pessoas, principalmente quando o interlocutor mostra-se frágil, Meira pediu desculpas e disse que Marcílio estava muito doente, com problemas psíquicos graves e que ela poderia ajudar muito para que ele pudesse receber atendimento psiquiátrico adequado.

— O senhor está querendo me dizer que ele é louco? Eu não acho. Ele é uma pessoa sensível e vi isso logo no primeiro instante em que estive com ele. Pois saiba que ele, mesmo dizendo que eu estava apaixonada, me rejeitou só para não me prejudicar. O senhor acha que um louco qualquer faria isso?

— Não. Eu não disse que ele é louco. Eu sou o advogado dele e, da mesma maneira que você, só quero o bem dele. Eu preciso saber como Marcílio se comportou durante os encontros, se ele falou alguma coisa que possa contribuir para convencer o juiz a transferi-lo da Casa de Detenção para um lugar onde ele possa se tratar, tomar a medicação adequada, ser assistido por um psiquiatra.

Bartira abriu a guarda:

— Está bem, doutor. Se é para o bem dele... Acompanhei a história toda e acho que ele fez uma coisa horrível. Mas nem por isso ele é uma pessoa má. Vi isso nos seus olhos assustados na foto do jornal no dia em que foi preso e pude confirmar quando estive perto dele, quando o abracei e o beijei. Eu também tenho muita dificuldade de relacionamento com o meu pai, que é autoritário, não tem diálogo comigo e me trata como seu eu fosse sua propriedade. Se o senhor me perguntar se eu já tive vontade de ver o meu pai morto, não vou mentir. Já. Mas não teria coragem. Sou filha única. Fugi de casa, vivi como *hippie*, vaguei pelas ruas como uma sem-teto, me droguei e tive um filho que nasceu com paralisia cerebral e abandonada pelo pai. Talvez isso tenha sido um castigo de Deus. Esse vazio de amor, de certa maneira, certamente é o principal elo da minha ligação com Marcílio. Eu o queria para mim com todas as forças do meu coração. Tomei coragem, fui até o presídio e me declarei para ele. Disse que estava apaixonada e pedi para voltar a visitá-lo. Fui a segunda vez à Casa de Detenção na esperança de conquistá-lo e imaginei que ele gostaria de me ver novamente, mas ele disse que seria um atraso na minha vida, que ouvia vozes e que poderia me magoar. Antes de ir embora, eu lhe pedi para fazer amor com ele uma única vez e ele ficou de pensar, que me escreveria dando a resposta. Quando o senhor ligou pensei que fosse por isso.

O advogado Meira explicou para Bartira como a esquizofrenia se processava na mente de Marcílio. Explicou que, segundo ele, a doença teria se manifestado poucos meses antes da tragédia e que ele precisaria de tratamento psiquiátrico para controlar as crises e devolver-lhe uma certa paz de espírito. Informou que normalmente os esquizofrênicos não são agressivos e que muitos, devidamente tratados, podem ter uma vida semelhante à de qualquer outra pessoa. Relacionar-se e desenvolver uma atividade, ter uma vida praticamente normal, enfim.

— Eu ainda tenho dúvida sobre o seu verdadeiro estado mental. Não descarto a possibilidade de ele estar simulando a doença mental com o intuito de obter uma pena mais branda pelos crimes que cometeu. Com as suas informações agora minhas dúvidas diminuíram e começo a achar que Marcílio fez o que fez porque não tinha mesmo qualquer domínio sobre suas faculdades mentais.

— Eu amo aquele homem, doutor. Do jeito que ele é. Não me pergunte por que, não sei explicar. Tudo o que queria era estar ao lado dele para apoiá-lo. Se o senhor puder me ajudar, eu ficaria muito grata.

João Meira pediu que ela tivesse paciência. Naquele momento, se ele não estava representando, vivia o auge de uma crise e sua presença poderia criar ainda mais confusão na cabeça dele. Bartira concordou e perguntou ao advogado se poderia manter um canal de comunicação com ele para ter notícias sobre o estado de Marcílio. Meira concordou.

A introspecção e o isolamento deram lugar à agitação e à insônia. Marcílio, agora, não ficava isolado falando sozinho e gesticulando em frente ao muro. Andava pelo pátio entre os detentos durante o banho de sol, com passos pesados, balançando a cabeça em movimentos verticais repetitivos e falando em tom baixo a mesma frase — "vamos arder no inferno, eu sei, eu sei... vamos arder no inferno". Parou de ler a Bíblia e de escrever seu diário criptografado. Passava as noites caminhando de um lado para outro entre os catres da cela de 20 metros quadrados, recitando trechos decorados do Livro do Apocalipse, tornando insuportável o cotidiano dos outros quatro presos que dividiam o espaço com ele:

Conheço as tuas obras: não és frio nem quente. Assim, porque és morno — e não és frio nem quente — vou vomitar-te da minha boca. Porque dizes: Sou rico, enriqueci e nada me falta. E não te dás conta de que és um infeliz, um miserável, um pobre, um cego, um nu. Aconselho-te a que me compres ouro purificado no fogo, para enriqueceres, vestes brancas para te vestires, a fim de não aparecer a vergonha da tua nudez e, finalmente, o colírio para ungir os teus olhos e recobrares a vista. Aos que amo, eu os repreendo e castigo. Sê, pois, zeloso e arrepende-te. Olha que Eu estou à porta e bato: se alguém ouvir a minha voz e abrir a porta, Eu entrarei na sua casa e cearei com ele e ele comigo.

O inferno era exatamente ali, naquele cubículo. Os presos não conseguiam dormir e ele não ouvia os apelos para que calasse a boca. Na terceira noite insone, sem entender a gravidade do problema de Marcílio, os presos perderam a paciência e o surraram, até que desmaiasse. Na manhã seguinte os agentes penitenciários constataram o estrago no seu corpo, especialmente na cabeça e no rosto. Os presos das outras celas protestaram contra o castigo que seria imposto aos quatro agressores e informaram que "o maluco só apanhou porque havia três dias não deixava ninguém dormir". Ele passou dois dias na enfermaria, dopado e recebendo soro. A direção do presídio reviu o castigo e colocou Marcílio para dormir no isolamento, uma cela solitária reservada à punição de presos por indisciplina. Durante o dia podia sair para circular pelo pátio. O isolamento agravou ainda mais a crise. Já não ouvia mais as "vozes de João", agora tinha os seus próprios demônios. E não parava de repetir caminhando entre os presos, que abriam passagem para ele circular sem direção: "vamos arder no inferno, eu sei, eu sei... vamos arder no inferno".

35

Vânia ficou sabendo das circunstâncias em que Marcílio se encontrava na prisão, imerso num provável surto agudo de esquizofrenia, sem assistência psiquiátrica e sem medicação. O advogado João Meira entendia — e respeitava — os seus sentimentos em relação ao irmão, mas precisava do seu apoio para que ele pudesse ter ajuda médica dentro da prisão. No instante em que lhe revelou que a doença poderia ter se manifestado meses antes dos crimes e que ninguém da família havia percebido, ela se convenceu.

— Somente o parecer psiquiátrico poderia determinar o estado mental do seu irmão. Ele afirmou que também ouvia vozes, como o seu outro irmão e passou a se drogar e a beber descontroladamente como fuga às alucinações. Levei um renomado psiquiatra para examiná-lo e ele constatou que realmente Marcílio sofre de esquizofrenia. Obtive informações do diretor do presídio sobre o seu comportamento e fiquei sabendo que ele não se relaciona com nenhum outro preso, passa o dia inteiro isolado e falando sozinho como se ouvisse vozes. Na última semana, Marcílio levou uma surra dos companheiros de cela, porque havia três noites seguidas ele não dormia nem deixava ninguém dormir, andando de um lado para outro citando repetidamente trechos decorados da Bíblia. Portanto, dona Vânia, tudo leva a crer que ele foi o instrumento de toda aquela chacina e agora está precisando de ajuda. Embora o portador de esquizofrenia de um modo geral não seja agressivo, alguns, quando em crise aguda, podem se tornar violentos na medida em que os delírios e alucinações os deixem ameaçados ou intimidados. E foi exatamente isso o que aconteceu com o seu irmão.

O advogado a convidou para acompanhá-lo numa audiência com o juiz Lourival Catucci, com o propósito de conseguir autorização para que um médico particular pudesse assisti-lo e medicá-lo. Meira levava na pasta o relatório do diretor sobre o cotidiano de Marcílio na Casa de Detenção, seu estado atual e o episódio da briga. E um documento da direção do presídio se comprometendo a controlar a medicação a ser ministrada. Vânia concordou. O juiz cedeu.

Com o tratamento pago pela irmã, Marcílio passou a ser atendido regularmente pelo dr. Rogério Coutinho. A crise foi controlada em um mês com medicação pesada, que foi sendo reduzida gradativamente pelo enfermeiro Mauro, que guardava os remédios a sete chaves. Marcílio, aos poucos, passou a conversar com outros presos. Mauro tornou-se seu amigo e ouvia os relatos do que as vozes falavam em sua mente. Voltou a escrever o diário, mas deixou a Bíblia de lado. Começou a pintar. O seu primeiro quadro, sem muita técnica, tinha a predominância das cores negra e cinza e retratava figuras fantasmagóricas. Não assinou, mas titulou a obra atrás da tela: "Apocalipse". O advogado já não tinha mais dúvidas sobre a esquizofrenia de Marcílio.

Bartira recebeu uma ligação de João Meira. Ficou feliz e, no sábado pela manhã, foi ao seu escritório. O advogado contou tudo o que aconteceu e a tranquilizou, dizendo que agora ele estava bem. Preocupado, queria demovê-la da ideia de manter um relacionamento amoroso com ele. Embora tenha descoberto nas suas pesquisas sobre a doença que um portador de esquizofrenia podia perfeitamente ter uma namorada e até mesmo casar-se, achava que a relação só agravaria os problemas familiares da jovem. Considerava que ela não tinha estrutura emocional para enfrentar as dificuldades e provações que, certamente, teria pela frente. Mas ela insistia.

— Doutor Meira, eu compreendo a sua preocupação, mas eu não tenho dúvida de que preciso passar por essa experiência. Não se trata de capricho, muito menos de afronta ao meu pai. Tenho plena consciência de tudo o que me aguarda no futuro. Mas eu quero. Eu o amo.

Meira ficou impressionado com o amadurecimento de Bartira. Desfez por completo a impressão que tinha dela, de jovem alienada que vivia em conflito permanente com o pai. Concordou com o encontro, mas tinha sérias restrições em relação ao namoro dos dois. Se por um lado poderia fazer bem a Marcílio ter alguém com quem conversar e trocar afetos, por outro poderia causar um estrago enorme no seu frágil equilíbrio emocional caso a relação não desse certo — o que era previsível. Conversou com o psiquiatra a respeito do pedido de Bartira e este não fez objeção.

— Veja só, Meira. Todas as pessoas, inclusive as que têm problemas psíquicos, estão sujeitas às perdas e ganhos da vida. Com Marcílio não seria diferente. É evidente que a relação, como qualquer outra, sofrerá desgastes e desencantos ao longo do tempo e ele terá que conviver com isso. O fim da relação, caso venha a acontecer, vai abatê-lo, a depender do seu grau de envolvimento, mas isso faz parte do jogo da vida, até mesmo para um portador de esquizofrenia e alguém que vai passar boa parte da vida numa prisão.

No encontro seguinte com Marcílio, João Meira falou sobre as pretensões de Bartira. Disse que havia conversado com ela e sentiu muita sinceridade em seus sentimentos. Seus olhos brilharam, estava feliz como nunca esteve na vida, nem mesmo quando achava que era apaixonado por

Íris. Ela passou a vê-lo todos os sábados com direito a visitas íntimas, facilitadas pelo diretor do presídio, atendendo pedido do advogado João Meira.

O pai de Bartira ficou possesso quando soube do envolvimento da filha com o "aquele monstro" e tentou impedir o relacionamento à força. Deu-lhe uma bofetada e a expulsou de casa, não permitindo que levasse o filho. A atitude do pai já era previsível para João Meira, que providenciou uma pensão e pagou um mês adiantado. O advogado sabia que a reação destemperada do pai seria, entre todos os problemas, o de menor dimensão. Sugeriu que deixasse a poeira assentar e que o melhor, naquele momento, seria a criança ficar com os avós, que teriam muito mais condições de cuidá-la. E aconselhou-a a relatar tudo a Marcílio para que ele, além de tomar conhecimento do problema, soubesse do sacrifício que ela fazia para ficar ao seu lado. Bartira conseguiu emprego numa sapataria e passou a estudar à noite para prestar exame do curso supletivo. João Meira conseguiu com Vânia aumentar para três salários mínimos a ajuda de custo que dava a Marcílio, que repassava a metade para a namorada pagar o aluguel de uma pequena casa próxima ao presídio. Dois meses após o início do relacionamento, ela engravidou e ele entrou novamente em crise. Para ele, um filho, longe de ser uma bênção era um castigo, cujo peso era maior que os anos que passaria encarcerado. Seria um pai ainda mais ausente do que Fernando Moura Maia o foi durante todas as etapas da sua vida, porque não estaria próximo para acompanhar o seu crescimento, não brincaria com ele, não lhe contaria histórias, não o levaria à escola, não estaria presente para ampará-lo nos seus primeiros tombos. E o pior, o filho cresceria sabendo que o pai cometeu um dos crimes mais bárbaros de que se tem notícia no país. Marcílio voltou a ficar agitado durante as noites e, por segurança, a direção do presídio o colocou no isolamento. Segundo contou ao dr. Rodrigo, as vozes voltaram a atormentá-lo. Tinha agora os seus próprios demônios remexendo o seu passado e traçando dias sombrios para o seu futuro. Uma delas seria Kassandra, uma cigana romena, que agora era a voz mais frequente. Ela fez o seu "mapa cármico" e previu a presença de dois meninos idênticos. Quando crescidos, um deles também mancharia as mãos de sangue matando a mãe. Seu maior castigo não seria a prisão, nem o tormento por ter matado a família, mas viver com a dúvida sobre qual entre os dois seria o assassino.

36

A vidente Kassandra acertou na previsão. Bartira deu à luz gêmeos. Vânia, embora não visitasse o irmão preso há quase dois anos, passou a dar toda a assistência aos meninos. Por causa da gravidez e das crises cada vez mais recorrentes de Marcílio, Bartira diminuiu as visitas e praticamente não mantinha mais relações sexuais com ele. Quando ia aos sábados, ele repetia seguidamente que João ou José, assim batizados, iria matá-la e não queria conhecer os filhos.

— Fuja, fuja... Um deles vai lhe matar... Kassandra leu as cartas e as cartas não mentem... Ela não disse que seriam gêmeos, então... Acredite.

Ele pintou vários quadros, sempre retratando a morte com a predominância das cores preto e cinza, onde apareciam figuras com expressões de pânico e dor. Todas as obras tinham em comum uma mancha vermelha e uma faca na parte inferior da tela. A pedido dele, Bartira nunca levou os filhos para conhecê-lo. Ela conversou com dr. Rogério Coutinho e com o advogado João Meira sobre a crise, que se tornou constante, e a alucinação recorrente, dizendo-se com muito medo de visitá-lo. Já não tinha por ele o mesmo sentimento de antes. As visitas foram rareando até que ela não foi mais à Casa de Detenção.

A data do julgamento de Marcílio foi marcada. Dentro de dois meses ele sentaria no banco dos réus. O promotor público Roberto Santana, apesar de todas as "evidências" de esquizofrenia, não acreditava na insanidade mental de

Marcílio. Não compactuava com o senso comum de que eliminar quatro membros da família "é coisa de louco". Analisou o histórico do acusado e considerou as circunstâncias em que o crime foi planejado e executado para concluir que ele tinha plena consciência do que estava fazendo: a compra das armas, o acesso ao cofre, o roubo do dinheiro e das joias — porque o vício da cocaína exigia recursos para ser mantido —, o comportamento dissimulado no enterro dos parentes e durante as investigações iniciais e a tentativa de fuga. Para Roberto Santana, pelo muito que também estudou sobre doenças mentais, o comportamento de Marcílio antes, durante e depois do crime, jamais poderia ser atribuído a alguém portador de esquizofrenia, como pretendia alegar a defesa. O promotor não tinha dúvida de que, desde o instante em que foi preso, Marcílio passou a simular a loucura com o objetivo de livrar-se da responsabilidade pelos assassinatos para tornar-se, assim, inimputável. Para ele, a ambição desmedida foi o que o moveu a cometer os assassinatos. Essa seria a essência da acusação, que não economizaria argumentos para caracterizar o alto grau de periculosidade do réu e pediria a pena máxima de trinta anos para cada um dos quatro crimes, definidos legalmente como homicídios qualificados por motivos fútil, torpe, à traição sem chance de defesa para as vítimas, membros da sua própria família, além da aplicação de medida de segurança. Qualquer decisão do júri que não atendesse a essa sua expectativa seria contabilizada por ele como mais uma derrota diante do amigo e maior oponente no Tribunal do Júri, o defensor público João Meira. Roberto Santana sustentaria a sua tese buscando desqualificar os argumentos da defesa, cujo ponto mais forte era um parecer psiquiátrico extraoficial, fornecido pelo médico Rogério Coutinho, atestando a insanidade mental de Marcílio Moura Maia, garantindo ser este "portador de grave transtorno mental

— esquizofrenia, mais precisamente — cujo portador tem dificuldades em fazer a distinção entre as experiências reais e imaginárias, pensar de forma lógica, ter respostas emocionais normais e se comportar normalmente em situações sociais". E para isso, Santana tinha munição forte: o laudo oficial solicitado pelo Ministério Público que atestava exatamente o contrário.

As contendas entre os dois advogados no Tribunal do Júri ganharam fama e sempre polemizaram opiniões. Na de maior repercussão, João Meira sagrou-se vencedor com uma defesa surpreendente.

O vendedor de verduras Argeu da Silva Santos passou quatro anos e meio aguardando julgamento por ter matado Lúcio de Almeida Costa, um rapaz de classe média de dezessete anos. Dois dias antes do crime, Argeu havia perdido o único filho, de catorze anos, adotivo, vítima de uma epidemia de sarampo que assolava a cidade. Cuidou da criança desde o seu primeiro ano de vida, quando conheceu Celene; apaixonou-se e casou-se com ela, assumindo definitivamente a paternidade do garoto. No dia do crime, saiu para trabalhar mercando verduras e hortaliças pelas ruas do bairro de Nazaré com o coração despedaçado de dor, natural para quem viu o filho morrer nos próprios braços, por falta de atendimento médico num posto público de saúde no centro da cidade. Argeu tinha quarenta e dois anos e morava num casebre, em Alagados, favela que cresceu sobre palafitas na Baía de Todos os Santos. Por mais de duas décadas, saía de casa todos os dias às 5 horas da manhã com o seu tabuleiro na cabeça para trabalhar nas ruas de Salvador. Por causa de um problema congênito — nasceu com apenas um testículo — era infértil e nunca pôde ter os seus próprios filhos. Desde menino padeceu com o apelido que o perseguiu por toda a vida. Chamavam-no de "Sem Ovo". Por causa da alcunha, frequentemente trocava de bairro, incapaz de suportar os dichotes das crianças e adolescentes que o perseguiam pelas ruas gritando e caçoando do seu defeito: "Sem Ovo, Sem Ovo, Sem Ovo...". Voltava para casa humilhado, mas sempre resignado.

Naquela manhã, Lúcio, que liderava um grupo de rapazes que costumeiramente faziam badernas na praça do bairro de Nazaré, não se limitou a agredir Argeu, detratando-o verbalmente. Aproveitou-se que ele estava com as mãos ocupadas segurando o tabuleiro com a mercadoria e segurou seu único bago apertando como se espremesse um tomate. Ele urrou de dor. Os amigos de Lúcio divertiam-se com a crueldade. Argeu conseguiu desvencilhar-se, pegou uma pequena faca afiada que utilizava como instrumento de trabalho e aplicou seguidos golpes no abdome do rapaz, que morreu na hora enquanto os outros corriam. Depois do crime, com a faca na mão e o corpo ensanguentado, Argeu sentou-se no meio-fio da calçada e aguardou, chorando, a polícia chegar. Foi preso sem dizer uma única palavra e acusado de assassinato em primeiro grau. Nem sequer argumentou que havia feito aquilo em legítima defesa.

João Meira tomou o caso para si. A causa era justa e era das que ele gostava de atuar.

O júri popular era formado por cinco homens e duas mulheres e Meira identificou ali uma oportunidade para apelar ao sentimento da honra masculina, que Argeu viu vilipendiada durante toda a sua existência. O promotor Roberto Santana fez uma acusação clássica. Apelou para o fato de o menor ter apenas dezessete anos, ser um jovem estudante com um futuro promissor pela frente, que sonhava com a carreira de engenheiro e "que teve a vida interrompida vítima da brutalidade deste homem, simplesmente porque ele não aceitou ouvir ser chamado por um simples apelido pelo qual atendeu a vida inteira". E buscou exemplos em codinomes de pessoas famosas para sustentar sua tese:

— Imaginem senhores jurados, se Garrincha, que assim era conhecido por ter uma aparente deformação física — como os senhores sabem, suas pernas eram tortas — reagisse de forma violenta quando um companheiro de time, um adversário ou o próprio árbitro da partida se dirigisse a ele chamando-o de Mané Garrincha e não de Manuel dos Santos. Certamente, não teríamos a alegria de ver em campo o seu futebol genial, porque ele seria expulso a cada jogo. E o que dizer de Pelé, que assim era chamado por ser negro. E, mais remotamente, Aleijadinho, como ficou conhecido e consagrado o gênio da escultura barroca.

Ao receber a palavra do juiz para fazer a réplica da sua defesa, após o discurso acusatório de Santana, João Meira permaneceu calado por alguns segundos. Levantou-se, caminhou em direção aos jurados olhando cada um nos olhos e postou-se ao lado deles. Dirigiu-se ao juiz com tratamento solene e repetitivo:

— Ilustríssimo, digníssimo, excelentíssimo, meritíssimo doutor juiz de Direito, Aderbal Furtado... Ilustríssimo, digníssimo, excelentíssimo, meritíssimo doutor juiz de Direito, Aderbal Furtado... Ilustríssimo, digníssimo, excelentíssimo, meritíssimo doutor juiz de Direito, Aderbal Furtado...

Antes que fizesse a quarta saudação, o juiz, irritado, bateu o martelo na mesa e repreendeu o defensor de maneira enérgica.

— Doutor Meira, chega de tantos superlativos. Dessa maneira o senhor além de estar desrespeitando o meu júri, está me tirando do sério. Por favor, queira limitar-se à sua defesa.

— Veja só, meritíssimo. Pois é exatamente nesse ponto, o ponto de irritação, aonde eu queria chegar. Foram necessárias apenas algumas poucas repetições de "superlativos", como o senhor mesmo se referiu ao meu excesso de deferência, para a qual peço humildes desculpas, para dar nos nervos de Vossa Excelência a ponto de fazê-lo perder a paciência. E olha que não se tratava de menções pejorativas, muito pelo contrário. Este homem foi vítima a vida inteira de chistes, ofensas e humilhações e resignou-se o quanto pôde, retornando sempre para casa sabendo que no dia seguinte seria chamado, uma, duas, dez, centenas de vezes de "Sem Ovo". Nunca reagiu. Só não abaixava a cabeça, porque precisa seguir em frente carregando o seu tabuleiro. Naquele dia, especialmente naquele dia, fazia 24 horas que o réu havia enterrado o filho, que não era seu consanguíneo, incapacitado que sempre foi de poder gerar os seus próprios rebentos, mas o filho que escolheu para cuidar, amar e dar uma vida digna. Senhores jurados, além de estar vivendo naquele momento a pior dor que um ser humano pode experimentar, a perda de um filho querido, o réu, o senhor Argeu da Silva Santos, aquele pobre homem ali sentado, honrado e trabalhador, ainda foi vítima do suplício de ter o seu escroto cruelmente apertado pelo agressor, rapaz de família de posses, de porte avantajado e com passagem pela polícia por liderar badernas e provocar brigas de rua. Foi nessas circunstâncias que o réu, em legítima defesa e sob forte emoção, provocou a morte de Lúcio de Almeida Costa. Senhoras e senhores do corpo de jurados, apelo à consciência de cada um de vocês para que nesta noite não seja cometida mais uma violência contra esse homem, cujo sofrimento tem sido desmedido ao longo de toda a sua vida. Por isso, peço a absolvição de Argeu da Silva Santos. Hoje, pela primeira vez, ele vai sentir, tenho certeza, o sopro generoso da justiça.

Os jurados foram unânimes. Por sete a zero, Argeu foi absolvido.

37

A sala do Tribunal do Júri com seus limitados 120 lugares ficou reservada apenas à imprensa e pessoas credenciadas antecipadamente, em sua maioria advogados e estudantes de direito. Não foi permitida a presença de câmeras de TV e os fotógrafos foram obrigados a retirar-se logo após o início dos trabalhos, proibidos, no entanto, de fotografar os jurados. Vânia, grávida de sete meses, não compareceu. Nei viajou para a Europa. Bartira acompanhou o julgamento pelo rádio. Íris casou-se com um homem trinta anos mais velho e foi morar em São Paulo. Do lado de fora do fórum, centenas de pessoas especulavam e até apostavam sobre o tamanho da pena que seria aplicada a Marcílio, não faltando os que diziam que ele seria absolvido por ser incapacitado mental e, dessa maneira, inimputável. Havia, também, embora em minoria, os céticos em relação à justiça dos homens, para os quais só os pobres no Brasil vão para a cadeia.

Ao chegar ao fórum num camburão protegido por quatro policiais e algemado com as mãos para a frente, Marcílio ouviu os apupos já esperados de homens e mulheres gritando "assassino, assassino, assassino". De barba e cabelo crescidos, lembrava o Cristo em seu calvário, açoitado pela ira do seu próprio povo, cego ante a certeza de que a verdadeira justiça se faz com misericórdia. Entrou no salão cabisbaixo e assim permaneceu durante todo o julgamento. Vestia-se como nos tempos em que trabalhava na Moura Maia Tecidos, de camisa social branca, calça e sapatos pretos.

Cercado por dois policiais, ele ocupou o assento mais baixo do tribunal: o espaço vazio do banco dos réus. Pacato e inofensivo. Parecia inocente. Parecia normal.

Todas as testemunhas foram ouvidas previamente pelo juiz Lourival Catucci durante a instrução do processo ao longo dos quase três anos desde que o inquérito foi concluído pela polícia e encaminhado à Justiça. O Tribunal do Júri, assim, ficou reservado à leitura de um resumo do processo com mais de 300 páginas, que durou mais de cinco horas, e ao espetáculo tão aguardado a ser protagonizado pelos dois causídicos, que viveriam naquele embate o momento mais marcante de suas carreiras como causídicos criminalistas.

O promotor Roberto Santana ajeitou a beca de seda, sorveu um gole de água e fez em tom solene as saudações de praxe, pronto para iniciar o libelo. Caminhou devagar em direção aos jurados, estendeu os braços sobre a bancada de jacarandá que delimita o Conselho de Sentença, virou-se e apontou o dedo para Marcílio:

— Aquele homem não tem compaixão. E sabemos que onde não há compaixão os crimes se multiplicam. Por ser assim desprovido de qualquer sentimento de piedade, aquele homem matou o pai, a mãe, a avó e o irmão. Friamente. Durante dois meses planejou tudo. Cada detalhe. Em instante algum durante todo o preparativo macabro freou os seus instintos para refletir sobre a tragédia que estava prestes a engendrar contra aqueles que lhe deveriam ser mais caros: seus familiares. E não o fez, porque a ambição lhe falava o tempo todo mais alto. A cobiça que se perpetuou no coração desse indivíduo, senhores jurados, foi o elemento motor de toda a sua conduta. E sabemos que o cobiça quando se transforma em ganância desmedida é um dos mais tristes fenômenos que apressam a autodestruição do homem. Ao cometer um dos crimes mais bárbaros de que sem tem notícia — e que nos envergonha como seres humanos —, o réu não apenas destruiu a sua família, mas também se autodestruiu, vencido pela sua ganância insaciável. Aqui certamente, tentarão minimizar sua responsabilidade perante os delitos, sob a alegação de que ao cometer quatro assassinatos contra os seus próprios parentes estava privado das suas faculdades mentais. Ele comprou as armas com o dinheiro do próprio pai que roubou do cofre e da loja onde trabalhava, aprendeu a manusear o rifle, simulou um bilhete suicida, dopou a namorada para forjar um álibi, fingiu chorar no enterro, negou a autoria dos crimes o quanto pôde, apesar de todas as evidências e, por último, sem saída, tentou fugir. Então eu pergunto aos senhores: esse seria o comportamento de alguém privado da razão? Evidente que não. Marcílio Moura Maia sabia o tempo todo o que estava fazendo.

O promotor público caminhou até o réu e, com o dedo em riste no seu rosto, atacou:

— Este homem que está aqui à vossa frente desproveu-se de qualquer compaixão, esse sentimento que nos torna verdadeiramente humanos e impede que nos transformemos em pedra, como os monstros de impiedade das lendas, quando disparou aquelas armas. Foi um covarde, porque nascido em berço de ouro teve em suas mãos a oportunidade para buscar outros caminhos na vida, mas optou por empregar suas forças não para enfrentar os obstáculos e vencê-los, mas para fazer o mal. Preferiu o caminho nebuloso das trevas. Da morte. Da dor. Do sofrimento. E do sangue. Foi covarde, sim, com o pai, que no seu rigor paterno tentava lhe dar um norte na vida. Foi impiedoso com a mãe, que lhe trouxe ao mundo e, mesmo no seu silêncio crônico, nunca lhe negou amor e compreensão. Foi cruel com a avó indefesa, que apesar da fragilidade que o tempo lhe impôs, o acalentou nos braços e lhe cantou canções de ninar quando ele era criança. Foi traidor com o irmão, este sim louco, portador de esquizofrenia, que na sua inocência débil era prisioneiro de um mundo impenetrável. Muitos poderiam até classificá-lo como psicopata, indivíduo desprovido de qualquer sentimento genuíno, frio, insensível aos sentimentos alheios, manipulador, sem remorso ou culpa para atos cruéis, como os que ele perpetrou. Algumas dessas, sem dúvida, são características da sua personalidade, mas o mal do qual ele padece é o de desvio de caráter, de deformação da alma. Mas este mal, ao que se sabe, não é considerado doença aos olhos da Medicina Psiquiátrica e, tampouco, em momento algum, lhe subtraiu a razão. Portanto, senhoras e senhores do Conselho de Sentença, a ambição desmedida pela herança do pai levou este homem — réu confesso — a assassinar de maneira vil e torpe quatro membros da sua família no dia 10 de março de 1970. Não é a sociedade que exige justiça. É a humanidade que pede justiça.

Ao final do seu libelo, o promotor Roberto Santana, que até então falava gesticulando e andando de um lado a outro do tribunal, postou-se novamente à frente do Conselho de Sentença e, mais uma vez com os braços teatralmente abertos sobre a bancada, foi implacável na retórica ao pedir a pena máxima para Marcílio:

— O voto dos senhores pela condenação não apenas estará fazendo justiça aos que tiveram suas vidas ceifadas de modo tão brutal, nem aos poucos familiares sobreviventes da chacina da rua Dallas. Estará, também, reafirmando a nossa condição de humano, que não compactua com a perversão e a perversidade e que se indigna com qualquer tipo de ignomínia. Ao eliminar os seus, Marcílio Moura Maia perfurou o coração de todos nós, homens e mulheres de bem.

O promotor fez uma pequena pausa para recompor o fôlego, bebeu um gole de água, respirou fundo e prosseguiu:

— Como bem disse o pensador francês Michel de Montaigne, "a covardia é a mãe da crueldade". Eu me permito ir mais longe e parafraseá-lo para afirmar que este homem, que hoje está sendo julgado por vossas senhorias, pela crueldade que encarna, é o pai da covardia. Portanto, senhoras e senhores do Conselho de Sentença, peço a condenação do réu à pena máxima de trinta anos por cada um dos crimes hediondos que cometeu. Assim, creiam, estarão fazendo a verdadeira justiça.

38

Na madrugada que antecedeu ao julgamento, Vânia passou mal. Sentiu desconforto ao longo do dia e dores no ventre à noite. Evitou ler jornais, ouvir rádio e ver televisão, que a todo instante reprisavam a notícia do julgamento e abordavam detalhes do crime, reconstruindo fatos e cenas que nos últimos três anos ela tentou esquecer, em vão. Sentia sede exagerada e câimbras nas pernas. Não contou nada ao marido cardiologista, imaginando tratar-se de um mal-estar natural de quem estava revivendo uma situação de extremo estresse. A inquietude excessiva da mulher chamou a atenção de Guilherme, que despertou no meio da noite quando Vânia levantou-se para ir ao banheiro. Ele acarinhou sua barriga e ao tocar no seu rosto percebeu que ela estava pálida e com febre. Preocupou-se.

— Você está febril. Está sentindo alguma coisa?

Vânia perdeu força nas pernas e desmaiou. Uma mancha de sangue na camisola branca fez Guilherme temer pela vida dela e pela sorte do filho, que parecia querer vir à luz antes da hora. Não havia mais ninguém em casa. O motorista Afrânio fora dispensado, como de hábito, às 6 da tarde. Socorrê-la sozinho carregando-a nos braços seria demasiadamente perigoso para ela e para o bebê. Guilherme a colocou na cama e constatou que ela estava com hipotensão arterial. Ele colocou uma pequena quantidade de sal em sua boca e ministrou um medicamento para normalizar a pressão que havia caído para 8 por 6. Ligou para a emergência do hospital solicitando uma ambulância e entrou em contato com o dr. José Tavares, obstetra que acompanhou a gravidez. Vânia chegou a engravidar em duas outras oportunidades, mas sofreu abortos naturais antes de completar dois meses de gestação. Desta vez redobrou os cuidados, com repouso, exames mensais para acompanhar o desenvolvimento do feto, exercícios leves e alimentação balanceada. Pelo seu histórico, os riscos de perder mais um filho sem que ele viesse ao mundo eram muito grandes. E todo cuidado era pouco.

A emergência chegou ao apartamento 20 minutos após o chamado junto com o obstetra, que estava de plantão no hospital. O médico constatou de imediato que a bolsa amniótica havia rompido e que seria necessária uma cesariana, pois o bebê estava fora de posição para nascer naturalmente. Apesar de sua experiência como cirurgião cardíaco, o doutor Guilherme Fontoura temeu pelo pior.

— O caso é grave, Guilherme. O estado dela é crítico. A hemorragia é forte.

Ele controlou os nervos e disfarçou o desespero. Seguiu na ambulância de UTI móvel ao lado da mulher, segurando sua mão e observando os procedimentos de emergência. Vânia foi sedada e entubada durante o trajeto. Ele não tinha dúvida de que a precipitação do parto havia sido provocada pela tensão vivida nos últimos dias por conta do julgamento de Marcílio. Ela vinha dormindo mal, levantava-se da cama várias vezes para tomar ar na varanda e procurava esconder a aflição. Vânia nunca mais viu o irmão, desde a única vez em que esteve na Casa de Detenção. Não tinha nem ódio, nem desprezo por ele. Nem amor, nem piedade. Era como se fosse uma pasta de arquivo vazia perdida dentro do armário de aço. Ela sabia que existia, que estava lá, mas que não precisava ser aberta porque nada continha.

Procurou abstraí-lo da sua vida e dos seus pensamentos. Porém, por mais que tenha se afastado de Marcílio, até mesmo evitando pronunciar seu nome, o julgamento mexia com ela. Os filhos dele com Bartira, os gêmeos João e José, eram o único e frágil elo que a ligava ao irmão. Ajudava os sobrinhos com uma pensão mensal para que pudessem ter um mínimo de conforto, mas tinha pouco contato com eles.

O barulho da sirene e todo aquele sangue esvaindo-se do ventre da mulher levavam Guilherme de volta à cena do crime e o faziam pensar no pior. Temia que a maldição que se abateu sobre a família Moura Maia caísse sobre o filho, retirando-lhe a vida antes mesmo que uma réstia de luz iluminasse o seu rosto. Temia por Vânia, que seria a vítima tardia a morrer também por obra do irmão, mesmo que involuntariamente. Temia por ele, que não suportaria tamanhas perdas e não teria mais forças para viver. A repetição da tragédia na família parecia anunciar-se. Para ele e a mulher, o nascimento do filho tinha um significado a mais: era o ciclo da vida se renovando com todo o seu esplendor de cores e pondo um ponto definitivo na amargura pesada, de chumbo, que há tanto tempo os sufocava. Menina fosse, teria o nome de Esperança. Menino, Gabriel. Um anjo iluminado que veio ao mundo para encher o vazio aberto no coração da mulher que amava, devolvendo-lhe a alegria de quando a conhecera e que foi estupidamente roubada naquela manhã nublada em que viu a morte desnuda invadindo a casa dos pais.

O doutor Guilherme Fontoura pela primeira vez entrava numa sala de centro cirúrgico como observador. Dessa vez não abriria o peito de um paciente para vasculhar suas entranhas, desobstruir artérias e garantir que o coração continuasse batendo. Teria de confiar na perícia de outro médico para salvar as vidas da mulher e do filho. Sentia-se impotente. Tão indefeso quanto eles. A sua vida, ali, também estava em jogo. A hemorragia de Vânia a fez perder cerca de um litro de sangue. Os batimentos cardíacos estavam fracos, abaixo de 40 por minuto. Abri-la era a única chance de salvar o bebê, mas a situação dela fazia com que a operação fosse demasiadamente arriscada. Os dois médicos conversaram e Guilherme deu o sinal verde para a cesariana. Foi a decisão mais difícil da sua vida. Nos últimos meses, imaginou-se naquela sala de cirurgia não como médico, mas como um pai ansioso e feliz vivenciando o momento mágico de ver o filho nascer, ouvir o som do seu primeiro choro e, ao lado da mãe emocionada, fazer pose para a foto que certamente ficaria exposta num porta-retratos, no lugar mais nobre na estante da sala, indicando que aquela, agora, sim, era uma família de verdade. Completa. Gabriel veio ao mundo com pouco mais de um quilo e duzentos gramas. Mal teve forças para dar o primeiro choro. Cabia na palma de uma mão. Foi imediatamente levado pela enfermeira para a UTI neonatal, para que o tempo fizesse a sua parte.

O sinal do monitor da pulsação cardíaca parou de oscilar e o toque sonoro ficou contínuo indicando que Vânia tivera uma parada cardiorrespiratória. O coração dela apagou. Seus pulmões não absorviam mais o ar que saía do tubo de oxigênio. Guilherme assumiu o comando na tentativa de ressuscitá-la. O médico José Tavares já havia cumprido a sua parte salvando a criança. A vida da mãe, agora, estava nas mãos do marido. E de Deus. Ele aplicou uma injeção de adrenalina diretamente no músculo do coração e ordenou ao enfermeiro o choque com o desfibrilador. Nada. O coração e as máquinas continuaram inertes. Silenciosos. Guilherme autorizou outro choque. Aqueles segundos de espera eram desesperadores. Passaram-se quase 60 segundos e ele ordenou o terceiro e derradeiro choque. O corpo de Vânia saltou na mesa de cirurgia. Parecia buscar um impulso para a vida ou pular definitivamente para a morte. Cinco, dez, quinze segundos se passaram, quando a enfermeira próxima aos monitores gritou:

— Ela está reagindo, ela está reagindo...

O coração de Vânia voltou a funcionar. A linha da vida voltou a oscilar na tela dos aparelhos. O médico José Tavares abraçou Guilherme, que chorava compulsivamente. Todos os que estavam no centro cirúrgico foram abraçá-lo.

Mãe e filho sobreviveram.

39

O defensor público João Meira sabia de antemão da impossibilidade de absolver Marcílio. A intenção da sua defesa não seria essa. Mas defenderia a tese já adiantada pelo promotor de que o réu, ao cometer os crimes, já sofria de distúrbios mentais graves para obter uma sentença menos rigorosa e, talvez, o cumprimento da pena no Manicômio Judiciário, onde ficaria preso para tratamento psiquiátrico e, também, por medida de segurança. Ao observar as reações dos jurados enquanto Roberto Santana fazia o seu libelo, Meira percebeu que a tarefa seria mais dura do que imaginava. Tentava adivinhar a personalidade de cada um deles. Por sua larga experiência em júris populares sabia que as características de cada um influem no julgamento. Marcílio já estava sentenciado antes mesmo da pronúncia da defesa. O defensor público João Meira teria que mostrar todo o seu aprendizado na biblioteca pública sobre psiquiatria e as várias faces da loucura para provar que ninguém de posse de suas faculdades mentais seria capaz de perpetrar crimes daquela natureza.

Enquanto Roberto Santana chamava o réu de "este homem", com a intenção subliminar de defini-lo como alguém personalidade já firmada, Meira o trataria por "aquele jovem". Técnica de defesa para sensibilizar alguns jurados, especialmente os mais velhos, sempre reticentes ante à possibilidade de condenar alguém no começo da vida a sofrer décadas numa prisão. Algumas vezes deu certo. João

Meira não tinha a elegância no vestir do seu oponente, mas esbanjava carisma. Trajava um terno barato, a gravata tinha o nó afrouxado e a beca preta surrada precisava de reparos. A barba de pelos curtos dava a impressão de que estava sempre por fazer. O cabelo desalinhado acentuava a sua irreverência sedutora. Ao ser convocado pelo juiz Lourival Catucci para dar início à defesa, permaneceu em silêncio alguns longos segundos revirando papéis como se procurasse o texto pronto de um discurso. Desistiu. Fechou a pasta, retirou os óculos, levantou-se e caminhou para o centro do "palco", postando-se entre o juiz e o réu e de frente para o Conselho de Sentença. E começou a oratória inventando uma frase e atribuindo-a a Sigmund Freud: "No labirinto da razão sempre existe uma porta entreaberta para a loucura". E trilhou a defesa pelo caminho que todos aguardavam, especialmente o promotor:

— Pessoas em seu juízo normal matam outras pessoas. Isso é fato e estamos quase sempre aqui, defendo-as, acusando-as, julgando-as. Matam para roubar, por vingança, porque se sentiram traídas, por raiva, por paixão, em discussões no trânsito ou numa briga de bar. Uma pessoa em seu juízo normal, no entanto, não elimina metade da sua família por maior que seja a sua ambição ou ganância, como tenta fazer acreditar meu ilustre colega promotor. Vejo nos olhos de cada um de vocês que terão a responsabilidade de julgar esse jovem pelos crimes que cometeu que o veem como um assassino frio, sem alma e cruel. E não os recrimino por isso. Aquele jovem, que na madrugada de 10 de março matou parte da sua família, senhores, não é este mesmo jovem que está aqui agora sentado sendo julgado por quatro crimes bárbaros. Tampouco era o jovem de meses antes de ocorrer aquela chacina que chocou a todos nós. Não. Esse jovem é doente. Sofre de esquizofrenia, conforme atesta o laudo do eminente psiquiatra Rogério Coutinho. Doença mental que, combinada com o uso excessivo de álcool, maconha e, sobretudo, a cocaína, uma droga química que provoca profundas alterações comportamentais no cérebro de quem a consome, transformou radicalmente a sua personalidade. De rapaz pacato, moderado, silencioso, discreto, carinhoso com os amigos e parentes, inclusive com alguns daqueles que tirou a vida, passou a viver, após a manifestação da doença, sob o inferno das alucinações, sob o jugo de vozes que martelavam em sua cabeça a ordem para dar cabo da vida do pai, com o qual, é verdade, nunca se entendeu bem. Fernando Meira Maia, a primeira vítima, era um homem difícil, voltado exclusivamente para os negócios, de pouco diálogo, indiferente aos sentimentos dos seus mais próximos, especialmente com ele, com João e com a pequena Mariá, estes também com problemas mentais. Marcílio começou a beber e se drogar compulsivamente para tentar calar as vozes e libertar-se dos tormentos que assolavam e assolam o seu espírito. Todos os compêndios da Medicina Psiquiátrica, e em alguns deles mergulhei a fundo na Biblioteca Pública do Estado e na biblioteca da Faculdade de Medicina, apontam o final da adolescência como a idade na qual a esquizofrenia mais se manifesta, ali entre os dezoito e os vinte e um anos. Foi o que ocorreu com Marcílio. Sabemos, também, que o esquizofrênico não é violento por natureza, podendo sê-lo quando sente estar ameaçado ou quando passa a fazer uso de drogas químicas, que alteram seu comportamento e potencializam a agressividade. Foi o que ocorreu com Marcílio. Constatamos, também, que a hereditariedade é um fator preponderante na manifestação da doença em descendentes. Além do irmão, uma de suas tias, irmã do seu pai, também sofria de esquizofrenia, em Portugal. Foi o que ocorreu com Marcílio.

João Meira falava em tom suave, buscando os jurados que, intuía, estariam mais propensos aos argumentos da acusação.

— A punição do homem que delinquiu, para ser justa, não deve refletir somente a gravidade do crime que praticou. A constatação de perturbação da saúde mental afirmou o comprometimento de determinação do réu. Entendeu-se, assim, toda a mecânica que foi a causa maior dos delitos, traduzida pelo ilustre psiquiatra por meio do "nexo de casualidade" entre as berrantes anomalias de personalidade de Marcílio Moura Maia e os ventos que deram motivo ao crime. Sendo o dolo vontade livre e consciente, como se falar em "dolo refletido" em quem apresentou a capacidade de determinação tão comprometida? Insistir-se, também, quanto às circunstâncias e à motivação dos delitos é continuar na mesma linha de espanto da tragédia, sem procurar penetrar na dinâmica que fez este jovem o instrumento da violência. Não importa, portanto, senhoras e senhores do Conselho de Sentença, levar em conta as razões do pensamento manifesto e sim as razões do pensamento oculto. Marcílio não matou os familiares por vontade própria. O mal que praticou emergiu da profundeza do seu inconsciente que, como bem disse Freud, deixou no labirinto da razão uma porta aberta à loucura. Condená-lo à pena máxima é, certamente, o caminho mais curto e mais fácil. Se assim for, a sociedade não terá feito justiça, mas praticado a vingança. Ele já está encarcerado em si mesmo, privado de paz de espírito, atormentado por vozes incessantes, que lhe dominam o arbítrio, lhe suprimem os pensamentos, lhe subtraem a vontade, lhe roubam a identidade. Essa é a maior prisão. Esse é o maior castigo.

40

O defensor público parecia convencer os jurados da incapacidade mental de Marcílio. E o promotor Roberto Santana contra-atacou buscando desmontar, um a um, os argumentos da defesa. Começou pelos antecedentes do réu:

— De bonzinho, carinhoso, pacato e querido como a defesa tenta apresentá-lo, Marcílio Moura Maia não tinha e não tem nada. Por trás desse semblante bíblico, está a encarnação da maldade em seu estado mais puro. Como indivíduo, não logrou qualquer êxito nos estudos ou em qualquer atividade lucrativa. Sempre foi um dispersivo. Na família, sempre demonstrou ser um desajustado doméstico, a ponto de culminar na tragédia da qual foi ator e autor. Na vida profissional, enveredou pela improbabilidade. Quando trabalhou com o pai que assassinou, retirava dinheiro da firma e não registrava outros valores de vendas para cobrir gastos com a sua luxúria, o consumo de drogas e presentes para a namorada de reputação duvidosa. Enquanto aguardava julgamento pelo tribunal popular, por duas vezes foi flagrado fazendo uso de entorpecentes na prisão. Ainda quanto à personalidade do réu há que se considerar a sua capacidade de delinquir, caracterizada pelas tendências, pelos impulsos, pelas condições físicas e psíquicas pelos motivos determinantes da ação. E esta capacidade de delinquir Marcílio Moura Maia a tem à flor da pele, como se evidenciou em suas próprias palavras durante os interrogatórios e ao ser periciado pela junta psiquiátrica requisitada pelo Ministério Público. Considera-se um justiceiro, sempre fazendo justiça com as próprias mãos, admite-se, por isso, com o direito de matar o próprio pai. É fascinado por armas de fogo. O fratricídio, considera como homicídio piedoso. O avocídio, como mero acidente que lamenta.

Quanto à intensidade do dolo, Santana rebateu o parecer psiquiátrico apresentado pela defesa com o laudo oficial de exame de sanidade mental, que analisou as condições psíquicas de Marcílio no período que antecedeu e durante a execução dos crimes. Segundo o laudo oficial, "a lucidez demonstrada na premeditação, urdidura e consumação da tragédia e o comportamento do réu nos dias que antecederam a sua prisão, evidenciada nos sucessivos interrogatórios e exames clínicos, são de uma constatação tão evidente que não deixa margem de dúvida. A integridade das demais funções psíquicas também, pela ausência de distúrbios do curso do pensamento, da memória, da atenção e da inteligência".

Santana insistiu na tese do dolo refletido, evidenciado na premeditação, o que demonstra a intensidade maléfica, porque Marcílio agiu com reflexão, calma de espírito e sangue-frio na escolha dos meios. Lembrou aos jurados que ele já havia maquinado matar o pai simulando um desastre de carro nas idas e vindas da fazenda, abandonando a ideia pelo receio de matar o motorista que sempre viajava junto. E que evoluiu para o veneno, "chegando a atos preparatórios. Desistiu, porém, porque a mãe, que ele mais tarde eliminaria, poderia tomar o remédio ou comer o alimento envenenado. Chegou, afinal, à forma que considerou ser a ideal, acreditando que cometeria o crime perfeito, extinguindo quase toda a família". Mas a premeditação não para por aí — prosseguiu Roberto Santana —, o escárnio prossegue.

— Ele circula nu enquanto comete os crimes, toma banho, veste a mesma roupa e retorna à casa da namorada para dar substância ao seu álibi. Finge chorar nos funerais dos pais e reza sobre o esquife da mãe. É muita premeditação. É muita simulação.

Foram 14 horas de julgamento, com apenas uma pausa de uma hora para o almoço. Todos estavam exaustos. Às duas horas da madrugada, saiu o veredito do juiz Lourival Catucci, já esperado pelos jornalistas e pela plateia de advogados e estudantes de direito. Pelos advogados de defesa e de acusação. Mas a sentença surpreendeu a todos, até mesmo a João Meira.

Todos levantaram-se com o retorno do magistrado ao salão nobre do Tribunal do Júri. Ele dirigiu-se ao presidente do Conselho de Sentença e fez a pergunta clássica: os senhores já têm um veredito? Com a resposta afirmativa, o meirinho recolhe o papel com o resultado. O juiz conferiu e passou a ler a sentença, previamente escrita:

> O Tribunal do Júri, reunido hoje sob a minha presidência para julgamento de Marcílio Moura Maia contra quem pesa a acusação de haver assassinado na madrugada de 10 de março de 1970, no interior da casa 55 da rua Dallas, nesta capital, a tiros de revólver e rifle, os seus genitores Fernando Moura Maia e Anita Moura Maia, o seu irmão José Moura Maia e a sua avó Laura Pereira Gomes, o primeiro e os últimos em concurso material, e a segunda em concurso formal, e por isso pronunciado e libelado nas sanções do artigo 121, parágrafo 2º incisos I e V, combinado com o artigo 51 e o seu parágrafo 1º, todos do Código Penal Brasileiro, respondendo as indagações que lhe foram feitas e constantes das quatro séries de quesitos, chego ao seguinte veredito:

O Conselho de Sentença reconheceu que o réu foi o autor dos disparos que produziram as lesões nas quatro inditosas vítimas, admitindo, por outro lado, que as ditas lesões por sua natureza determinaram a morte de cada uma delas. Sobre a autoria e a letalidade das lesões referentes a cada um dos delitos praticados, afirmou, entretanto, o venerando Conselho de Sentença, na primeira, terceira e quarta série de quesitos, que o réu, em virtude de perturbação mental, não possuía, ao tempo das ações delituosas, a plena capacidade de determinar-se de acordo com o entendimento do caráter criminoso do fato. (...) Apesar de réu primário e com antecedentes abonados nos autos, as circunstâncias em que os crimes foram praticados, o modo como as vítimas foram executadas e os motivos que conduziram o réu àquele comportamento hostil e violento mostram que se trata de um indivíduo frio e calculista, com índice de periculosidade de alguma forma acentuado. Matando, como matou, seus familiares nas condições que os autos noticiam, demonstrou uma completa indiferença à vida dos seus entes mais caros, evidenciando no comportamento um desamor e uma ausência de virtudes e de sentimentos sem precedentes. Em contrapartida, porém, há de considerar-se a redução de sua capacidade de determinação à época dos crimes, daí porque o cuidado e a prudência em fixar-se o *quantum* necessário de pena, sem a impressão terrível causada pelas condições que lhe são completamente desfavoráveis, a retratá-lo como uma personalidade delinquente.

João Meira deu uma breve olhada para a bancada da promotoria e deixou escapar um leve sorriso, satisfeito com o que havia acabado de ouvir. Havia entrado em campo com o jogo perdido e sairia com um empate com sabor de vitória. Por seis votos a um, o Conselho de Sentença acolheu a sua tese de que Marcílio sofria perturbação da saúde mental e não possuía, ao tempo das ações, a plena capacidade de determinar-se de acordo com o entendimento do caráter criminoso do fato. O promotor Roberto Santana parecia desolado. Não conseguiria, como pretendia, a pena máxima de 120 anos para os quatro crimes cometidos.

O juiz Lourival Catucci, então, passou a ler a sentença: "Por tudo isso, não parece desarrazoado, nem ao arrepio da lei, a fixação de sua pena base, no que concerne ao homicídio praticado contra Fernando Moura Maia, em doze anos de reclusão. Mas, considerando que desse crime resultara também a morte de sua genitora, Anita Pereira Maia, ainda que tal fato não decorresse de um desígnio autônomo, mas resultante de concurso formal, aumento a pena da metade, de cuja soma resultam dezoito anos para as duas infrações, reduzidos porém de um terço, na conformidade do parágrafo único do artigo 22, ficando a mesma pena fixada em doze anos de reclusão. De referência ao homicídio praticado contra seu irmão João Moura Maia, atendendo aos motivos e ponderações já referidos, sem outras razões a serem invocadas, a fixação da pena base deverá ser em doze anos, também sujeita à redução de um terço, dando ao final a pena de oito anos de reclusão. Finalmente, quanto ao crime praticado contra Laura Pereira Gomes fixo como pena base para esse crime doze anos, com a mesma redução de um terço, resultando a pena definitiva em oito anos de reclusão. Em consequência e na conformidade com o disposto no artigo 51 do Código Penal, que em concurso material de crimes, manda que as penas sejam aplicadas cumulativamente, condeno o réu Marcílio Moura Maia à pena total de vinte e oito anos de reclusão, que deverá ser cumprida na Penitenciária do Estado, sujeitando-se, ainda, a três anos de medida de segurança e ao pagamento das custas do processo. Pena total: trinta e um anos.

41

O juiz Catucci bateu o martelo encerrando a sessão. O cansaço está estampado no rosto de João Meira, que nunca se sentiu confortável como defensor de Marcílio Moura Maia. A barbaridade do crime, o perfil do réu e as dúvidas em relação à sua sanidade sempre o incomodaram. Mas, após o veredito e a sentença, podia contabilizar mais um bom desempenho nos tribunais. Considerou a soma das penas estipuladas como uma vitória da defesa. Mas o réu, não. Ao final do júri, Marcílio tinha os músculos do rosto retesados e os olhos crispados de ódio. Durante o período em que aguardava o julgamento, imaginou que a Justiça o consideraria incapacitado mental e, dessa maneira, receberia uma pena mais branda, a ser cumprida no Manicômio Judiciário. O desfecho também não agradou ao promotor, que pediria aumento da pena aplicada. João Meira acabara de ser cumprimentado pelo promotor Roberto Santana, quando Marcílio, revoltado com a sentença, deu dois passos em direção ao advogado de defesa e desferiu o xingamento:

— Filho da puta, advogado de merda.

João Meira assustou-se. Naquele instante, teve a certeza de que descobriu o verdadeiro Marcílio Moura Maia. Dissipou todas as dúvidas sobre a sua sanidade mental e, sobretudo, sobre o seu caráter maligno. O desprezo que trazia no olhar era de alguém que tinha plena consciência da maldade que incorporava. Aquela, certamente, não era a atitude de alguém com esquizofrenia, mas de um psicopata, talvez. Teve certeza, ali, que as alucinações, as crises, as vozes, tudo, enfim, não passou de uma grande farsa. Aquele homem carecia de humildade e arrependimento. Sentiu-se usado.

Marcílio deixou a sala do Tribunal do Júri algemado e escoltado por dois soldados. Seguiu para a Casa de Detenção, onde passaria a sua última noite. Na manhã seguinte seria transferido para a Penitenciária do Estado, onde passaria a viver os próximos anos. Não dormiu. Ouviu, calado, gracejos dos outros presos que o amaldiçoavam. Não tinha mais elos com o mundo do lado de fora. Seu único e último contato, o advogado João Meira, certamente não continuaria a defendê-lo, na apelação feita pelo promotor. O furgão negro que o levaria para a sua nova morada deixou a Casa de Detenção e seguiu para a Penitenciária do Estado. Pela janela estreita e gradeada da viatura via a cidade luminosa ficar para trás.

Havia se passado um ano e sete meses desde a última visita de Bartira a Marcílio, quando ele ainda estava na Casa de Detenção aguardando julgamento. Ela concluiu o segundo grau, agora trabalhava no setor comercial de uma construtora e reconciliara-se com o pai. Morava com os três filhos. Com o salário e a ajuda de Vânia, pagava a creche dos gêmeos e uma moça para cuidar de Lucas, o filho deficiente, que passou a frequentar um núcleo de apoio a crianças com paralisia cerebral. Estudava contabilidade à noite, época em que conheceu e começou a namorar Rafael, rapaz negro, cinco anos mais velho, sócio do pai numa pequena metalúrgica. Pela primeira vez vivia uma relação sem turbulências. Tinham plano de casar-se em alguns meses. O seu "Negão", como ela o chamava, era um homem normal, trabalhador, simples, que a fazia sorrir, que lhe dava prazer na cama e na vida. Aos sábados, iam à praia com as crianças, que ele tratava como se fossem seus filhos. Aos domingos à tarde, ao Pelourinho, quando ela se inebriava com o som marcante dos tambores do Olodum, onde ele era um dos percussionistas. O pai de Bartira, num primeiro momento, desaprovou a relação, por mero preconceito. Mas a sua opinião não valia mais nada, porque ele não tinha mais poder nem ascendência sobre ela. Acabou conformando-se, com um argumento bizarro: "Esse negro pelo menos não é assassino, nem traficante vagabundo".

Depois de seis meses na Penitenciária, Marcílio escreveu uma carta para Bartira, querendo vê-la e saber notícias dos filhos. Ele precisava de um elo do lado de fora dos muros. Disse que era um outro homem, que não tinha mais alucinações, que estava pretendendo começar uma vida nova junto com ela, porque "nesses últimos meses de reflexão descobriu que a amava e a queria de volta". Ela surpreendeu-se. Tremeu da cabeça aos pés. Já não pensava mais nele há muito tempo. Não o amava mais. Definitivamente, Marcílio não fazia mais parte da sua vida. Bartira pensou em escrever-lhe, pensou em visitá-lo para pedir-lhe que a esquecesse, mas preferiu dar tempo ao tempo, imaginando que a falta de resposta já seria em si uma resposta negativa. Marcílio insistiu, mandou várias cartas, que ela não abriu. Procurou o advogado João Meira e ele a aconselhou ter uma conversa definitiva com o ex-companheiro.

— Como ele foi condenado a trinta e um anos, vai passar pelo menos uns quinze anos preso. Portanto, não tem o que você temer.

Bartira revelou que ele não tinha mais alucinações e João Meira confirmou. O advogado contou-lhe o episódio ocorrido no final do julgamento e que, naquele momento, teve certeza de que Marcílio, além de assassino frio, era um farsante que conseguiu enganar a todos.

— Os delírios e as vozes que dizia sofrer e ouvir eram uma farsa para que a sua defesa fosse sustentada sob o argumento de que sofria de problemas mentais e, com isso, ter a pena abrandada como de fato aconteceu.

Concluiu que o quadro psíquico de Marcílio era típico de um psicopata, não de esquizofrênico como acreditou o tempo todo.

— Todo psicopata é um dissimulador por natureza. E ele desempenhou o seu papel com uma competência incomum, capaz de enganar a mim, a você, à família e ao próprio psiquiatra. A promotoria pediu e está aguardando um novo julgamento, mas dessa vez eu não vou defendê-lo. Apesar de ele ter sido condenado, como já era esperado, saí do tribunal naquela madrugada do julgamento com a sensação de vitória, de ter feito um bom trabalho, de ter conseguido um bom resultado diante de todas as circunstâncias desfavoráveis. Mas descobri rapidamente que ele me enganou o tempo todo. Com o novo julgamento, acredito que a pena vai acrescer em mais uns dez a quinze anos. Ele vai sair da prisão com mais de quarenta anos de idade. Fique tranquila, com aquele você não tem mais com o que se preocupar. Agora, vá à penitenciária e bote uma pedra em cima dessa história. Definitivamente.

Bartira foi ao presídio no sábado, dia de visita. Chegou por volta das 10 da manhã, quando todos os parentes de presos já haviam entrado. Não levou cigarro, nem frutas, nem revistas. Não levou os filhos. Apenas oito envelopes fechados contendo as cartas que ele havia lhe enviado e ela não leu. Dessa vez ele não estava encostado ao muro, falando sozinho. Estava pintando um dos seus quadros. Na tela não retratava mais a figuração da morte. Era uma abstração tosca, típica dos que não têm talento nem traquejo com a arte plástica. Ele largou os pincéis e as tintas e foi ao seu encontro com o sorriso estampado no rosto. Acreditava que ela havia voltado para ele. Séria, sem mexer um músculo da face, ela retirou os envelopes da bolsa e os devolveu, com um pedido expresso:

— Li apenas a primeira carta que você me enviou. Não abri as outras, porque o seu conteúdo não me interessa. Refiz a minha vida e preciso que você me esqueça. Você conseguiu enganar a todos, inclusive a mim com aquelas histórias de alucinações, vozes, loucura e premonições, como se realmente fosse um esquizofrênico. Sua loucura é outra. Você se alimenta com a dor alheia, se satisfaz com a mentira, se realiza nas manipulações. Felizmente voltei à realidade a tempo de recompor o meu caminho. Esqueça que me conheceu, esqueça que teve filhos comigo. Aliás, eles são a única coisa saudável que extraí de você. Quero eles distantes do pai monstruoso e desse depósito de demônios em que você vive agora, para que não aconteça comigo e com eles o que aconteceu com a sua família. Aproveite os anos que você vai ficar aqui para repensar a sua vida e procure descobrir se há algo de bom dentro do seu coração e cultive.

Bartira deu as costas e foi embora. Marcílio não disse uma palavra. Apenas cuspiu seu desprezo de lado enquanto ela partia.

Três meses depois ela casou-se com Rafael e foi levada ao altar pelo pai, que, antes da cerimônia, lhe pediu perdão "por algum mal que lhe tenha causado". Bartira procurou Vânia para agradecer o apoio que recebeu e solicitou que ela suspendesse a ajuda financeira que lhe dava todos os meses. Não era mais necessário. Contou-lhe sobre as cartas e a visita à penitenciária. Despediram-se e nunca mais se viram.

42

A tragédia familiar mudou a vida de Nei de uma maneira diferente da que havia planejado para o seu futuro. Quatro anos atrás havia se formado em direito e pretendia exercer a profissão, ter a sua própria banca, defender ações cíveis e tornar-se um advogado famoso. Estudou muito para isso. Mas se as dificuldades para um jovem advogado se firmar eram grandes, para ele eram maiores ainda, pelo sobrenome estigmatizado que carregava. Ninguém daria uma causa para ser defendida pelo irmão de um assassino. O preconceito falava mais alto. A carreira ficou de lado definitivamente, porque, além da fortuna, também herdou o comando dos negócios deixados pelo pai. E que eram muitos. Aos vinte e sete anos tornou-se um homem rico. Comprou um apartamento grande e casou-se com Amélia, numa cerimônia discreta, com poucos convidados: apenas Vânia, Guilherme e Mariá, seus únicos parentes, familiares da noiva e amigos muito próximos. Tinha consciência de que qualquer evento envolvendo o nome da família Moura Maia reacendia a memória coletiva e atraía a atenção de curiosos, principalmente da imprensa. Durante boa parte da vida teria de carregar na identidade o peso de ser "Nei, o irmão de Marcílio Moura Maia, aquele que matou o pai, a mãe, a avó e o irmão". Nos lugares aonde chegava, já se acostumara a ouvir as pessoas cochichando maldosamente por trás, como se ele fosse o assassino. O crime teve um efeito devastador nos negócios. As lojas, antes líder no comércio de tecidos em Salvador, foram incorporadas pelo concorrente, porque tiveram queda devastadora nas vendas e mantê-las tornou-se insustentável. Criou uma imobiliária para administrar os imóveis, porque, antes, a simples referência ao sobrenome Moura Maia num contrato de locação provocava a desistência do futuro inquilino, como se este temesse contrair uma peste ou ser vítima de uma tragédia no imóvel que pretendia morar. Investiu todos os recursos auferidos com a venda das lojas na compra imóveis e de outras fazendas de cacau e gado. Em dois anos dobrou a fortuna da família, partilhada entre ele e Vânia, que passou a cuidar de Mariá, conforme a vontade do pai no testamento.

Ao abrir sua caixa de correspondências na garagem do prédio onde morava, Nei surpreendeu-se com um envelope sem a indicação do remetente. Abriu e começou a ler a carta no elevador. Era de Marcílio. A última vez que havia visto o irmão foi no enterro dos parentes. Para Nei, era como se Marcílio também tivesse morrido na chacina. Abriu a porta do apartamento e sentou-se no sofá para concluir a leitura. Reacendeu o ódio que sentiu pelo irmão quando o crime foi desvendado. Marcílio, cinicamente, exigia a sua parte na herança, queria dinheiro e fazia ameaças:

Nei,

Não tenho dúvida de que você e Vânia estão muito bem de vida, se regalando com a herança que eu, de certa forma, ajudei vocês a receberem mais cedo. O céu pra vocês e o inferno pra mim. Você acha isso justo, Nei? Não se esqueça que um dia, mais cedo ou mais tarde, eu vou sair daqui e vou querer o que é meu de direito. Nesse momento estou precisando de 20 mil cruzeiros[1] para abrir um negócio na prisão e poder melhorar as minhas condições de

---

[1] Vinte mil cruzeiros naquela época equivaliam a aproximadamente 10 mil reais hoje.

vida aqui dentro. Não é nada diante da fortuna que agora vocês têm nas mãos, mas é muito para mim. Dentro de alguns dias, alguém vai entrar em contato para pegar a encomenda.

Sem mais para o momento, do seu irmão querido, que apesar de ter sido abandonado por você, nunca o ESQUECEU.

Marcílio.

Nei assustou-se com o que leu. O "ESQUECEU" com letras maiúsculas dava bem o tom da ameaça. Permaneceu sentado no sofá procurando acreditar no que estava escrito naquela folha de papel. Já se acostumara com a ideia de que Marcílio não mais existia. Para ele, o irmão também foi enterrado junto com os outros familiares mortos. Amélia retirou a carta das suas mãos, leu e tentou tranquilizá-lo.

— Ele está fazendo isso por puro desespero, porque sabe que não tem direito, por lei, a um centavo do que o seu pai deixou. Esqueça aquele infeliz.

Nei sabia que as coisas não eram tão simples assim. No dia seguinte foi ao escritório do dr. Nelson Wright, que cuidou de todo inventário da família, e mostrou a carta. O advogado também o tranquilizou em relação à herança, sob o ponto de vista jurídico.

— Você, inclusive porque é advogado, sabe perfeitamente que ele não tem direito algum sobre a herança. Quanto a isso fique tranquilo. Sobre o dinheiro que ele pede, se você der, ele vai chantageá-lo outras vezes. Portanto, desconsidere. Lá dentro ele não pode fazer nada contra você e Vânia. E quando ele sair, e isso ainda vai demorar muitos anos, não creio que ele seja estúpido o suficiente para fazer alguma besteira, pois sabe que na condicional ele volta para a cadeia se cometer qualquer deslize.

Mas Nei não seguiu os conselhos do dr. Wright. Naquela mesma tarde foi surpreendido no seu escritório com a visita de Soraya, uma mulher de vinte e cinco anos aproximadamente, que se apresentou à recepcionista como "uma amiga" e que precisava falar com Nei com urgência. Ele autorizou a entrada dela em sua sala e Soraya se identificou como "companheira" de Marcílio. Ela estirou a mão para cumprimentá-lo, mas ele não retribuiu. Ríspido, perguntou:

— O que a senhora deseja?

— Eu me chamo Soraya, sou a companheira do seu irmão.

— Não me interessa, eu não tenho nenhum irmão. O que eu tinha morreu, a senhora deve perfeitamente saber disso.

— Eu estou aqui porque Maia disse que o senhor teria uma encomenda para mim.

Ele pegou na gaveta um envelope pardo com o dinheiro e entregou para a mulher. E deu um recado:

— Diga àquele vagabundo, que essa foi a primeira, única e última vez. Está aqui e que ele faça bom proveito. Por favor, retire-se.

Soraya sorriu com sarcasmo enquanto colocava o dinheiro na bolsa. Deu boa-tarde, e saiu.

43

Três anos na Casa de Detenção e cumprindo o quarto ano na Penitenciária do Estado, Marcílio não apresentava nenhum sintoma da esquizofrenia que todos imaginavam, mas continuava consumindo remédios antidepressivos, comprados no câmbio negro por intermédio do enfermeiro Mauro, com o dinheiro que recebia da irmã. Fumava maconha diariamente e tornou-se dependente de Diazepam. Por não fazer exercícios físicos, engordou cerca de 15 quilos. Tentou um serviço na lavanderia, que ajudaria a reduzir sua pena, mas brigou com o preso que chefiava o setor, por render pouco no trabalho. Quase não falava com os outros presos e continuava escrevendo no seu diário criptografado. Sentia falta de uma mulher. Masturbava-se com frequência. Agora, nutria ódio mortal por Bartira, que o rejeitou. Era desprezado pelos outros detentos, que o viam como um criminoso diferenciado. Até aqueles que cometeram crimes violentos o consideravam um monstro além da conta. Muitos o temiam. Achavam que alguém que foi capaz de eliminar parentes tão próximos, entre eles a própria mãe, seria capaz de qualquer coisa. Alto e encorpado com o peso, o rosto semicoberto por cabelos e barba crescidos, o olhar frio e o distanciamento tornavam-no uma figura assustadora. Ao flagrar um preso, companheiro de cela, mexendo em suas coisas, quase o matou de pancada, arrancando-lhe parte da orelha com os dentes. Apenas um detento, que apodrecia atrás das grades havia mais de vinte anos por ter assassinado quatro pessoas, mantinha algum contato social com ele. Laércio Virgílio, de cinquenta e dois anos, era o preso mais antigo da Penitenciária do Estado. Negro, alto e forte, matou o dono e o empregado de uma padaria durante um assalto além de dois outros presos na Casa de Detenção enquanto aguardava julgamento. Todos o chamavam de "Pastor", porque tinha sempre uma Bíblia na mão e insistia em catequizar pecadores incorrigíveis. Não tinha advogado próprio e a liberdade pouco o interessava. Especializou-se em tatuagens, o que lhe rendia uns trocados escrevendo nomes, palavras, frases e símbolos — quase sempre cruzes, correntes e caveiras — nos corpos de outros presos. Marcou em seus dedos a inscrição "PRESO A DEUS". Estampava uma cruz no braço direito e a frase "SÓ JESUS LIBERTA" no braço esquerdo. Promovia cultos evangélicos todas as noites, nos quais não cobrava o tradicional dízimo.

Pastor aproximou-se de Marcílio numa sessão de tatuagem, quando ele imprimiu uma caveira sobre o coração. Tentou cooptá-lo para a sua "igreja", sem sucesso. Frequentemente o procurava para manter conversas sobre o perdão, a fé e "o reino dos céus", durante o banho de sol no pátio. Marcílio, apesar de conservar a Bíblia que recebeu da irmã e que nunca mais abriu, mostrou-se irredutível ao assédio religioso. Dizia que acreditava muito mais na força do demônio do que na de Deus. E argumentava:

— Deus é coisa de otário. Coisa de pobre. Você por acaso acha que Deus perderia tempo aqui dentro, com esse bando de miseráveis como eu e você, que fica aí com essa conversa mole? Se Ele tivesse força, isso aqui não existiria. Sai dessa, cara! Meu pacto é com o diabo. Este, sim, sabe das coisas. É ele que me dá forças.

Pastor filosofou:

— As coisas boas nunca acabam e a esperança é uma delas. O homem pode seguir o seu caminho morrendo ou vivendo, desde que tenha Jesus no coração. E é disso que você precisa.

— Que Jesus, porra nenhuma! Pelo que eu sei, ele morreu crucificado e o Deus dele não mexeu um dedo para salvá-lo. Sabe por quê? Porque Deus só chega atrasado. O diabo sempre chega antes. Quando eu e você cometemos os nossos crimes, onde é que estava Deus? Por que é que ele não impediu? Porque o demônio está sempre um passo à frente. Nós somos emissários dele e por mais que você fique aí querendo um perdão que não vai ter, o nosso lugar é aqui nesse inferno e quando a gente morrer, um inferno ainda pior estará nos aguardando.

Marcílio contou para Pastor que a única coisa que o alimentava era a certeza de que quando saísse dali iria acertar suas contas com algumas pessoas.

— São alguns filhos da puta que só levaram vantagem comigo.

O advogado indicado pela Defensoria Pública para acompanhar o seu caso durante a revisão da pena revelou ao defensor João Meira que ele se portava de forma arrogante, que em momento algum se sentia arrependido e tinha todas as características de um psicopata.

— Ele me assusta, doutor Meira. Na nossa única entrevista ele só falou em vingança contra o irmão e contra a mulher com quem tem dois filhos. Para mim ele é um psicopata. É um cara frio e agressivo.

Pastor recusou-se a fazer a tatuagem em Marcílio, que queria que ele marcasse a palavra VINGANÇA em suas costas de ponta a ponta. Argumentou que "aquilo ia de encontro a tudo o que ele pregava". E sugeriu tatuar a palavra "justiça" para que ele pudesse "sentir o peso da vontade divina".

Ele não aceitou a troca. Dois dias depois, o preso Pastor encontrou o caminho do céu que ele tanto pregava. Foi assassinado em seu catre na sela, com o pescoço quebrado e a boca cheia de folhas da Bíblia. Marcílio não foi acusado formalmente pelo crime, mas deixou escapar um comentário que não deixava dúvidas sobre a sua participação, o que aumentou ainda mais o temor dos outros presos sobre o que ele era capaz de fazer, caso fosse contrariado:

— Aquele lá morreu como queria, com a palavra de Deus na boca.

44

O coronel Val, bicheiro preso na operação policial que derrubou o secretário de Segurança cinco anos atrás, na mesma época da chacina da rua Dallas, estava cumprindo pena de trinta e quatro anos e seis meses de reclusão, não apenas pela exploração do jogo do bicho, prostituição e tráfico de drogas. Respondia, também, pelo assassinato do delegado Olinto Costa e de um comparsa da sua organização, que teria sido o delator do esquema de corrupção que ele mantinha no governo. Agora, Val era o principal chefão na Penitenciária do Estado, com poderes de vida ou morte sobre todos os presos. Ocupava uma cela sozinho, sob a vista grossa da direção do presídio, com direito a tevê, geladeira e banho quente. Controlava todo o comércio de drogas, cigarros, favores e, sobretudo, proteção. No dia de visita, convocou Marcílio até a sua tenda armada no pátio e apresentou-lhe Soraya como sua sobrinha. O coronel sabia que ele era de família rica e que poderia conseguir "ajuda financeira" de fora para expandir os negócios dentro da prisão. Chamava-o de Maia.

— Chega aí, Maia. Você sabe que eu gosto muito de você e a partir de agora você passa a ser um dos meus afilhados aqui dentro, por isso vou lhe apresentar a minha sobrinha, Soraya. Parece que ela tá na sua e eu faço muito gosto de vocês ficarem juntos.

O coronel Val levantou-se e deixou os dois se entenderem sozinhos. Ao final da visita, estavam aos beijos, começando a relação. A partir daquele dia, a vida de Marcílio mudou, e para melhor, dentro da cadeia. Passou a dividir uma cela nova com apenas três outros detentos, todos do esquema do coronel, e a ter visita íntima com a nova namorada, sob as "bênçãos" do tio poderoso. O interesse de Val por Marcílio tinha três razões distintas e complementares, que seriam de grande valia para a expansão dos seus negócios. Ele era temido pelos outros presos pelo grau de perversidade dos crimes que cometeu, tinha formação escolar acima da média da população carcerária e, por ser de família rica, tinha como conseguir dinheiro do lado de fora. Dois dias depois, Val chamou Marcílio à sua cela e fez a proposta.

— Maia, é o seguinte: eu sei que você é um rapaz de família boa... É não, era. Desculpe! — O chefão deu uma gargalhada com a piada de mau gosto. — Eu posso tá enganado, mas acho que você tem como conseguir uma grana lá fora para entrar de sócio comigo aqui nos negócios. O que é que você acha? Escreve aí pro teu irmão que ficou com toda a grana da tua família e levante esse capital. Vá por mim, o negócio é bom.

— Me interessa, coronel, me interessa. Eu vou tentar, mas não garanto. Tem sete anos que eu não falo com Nei. Mas ele sempre foi muito "bonzinho" e acho que ele me deve essa...

Desde que Bartira o deixou, Marcílio nunca mais teve relações com outra mulher. Nos dias de visita evitava ir ao pátio porque se excitava vendo as esposas, irmãs e filhas de outros presos e temia chamar a atenção. As consequências seriam imprevisíveis. O jejum seria quebrado, finalmente, na primeira visita de Soraya, que não era bonita como Bartira, nem gostosa como Íris. Mas era uma mulher, e isso era o que importava. A sós, na cela, ele ejaculou antes mesmo de tirar a roupa, enquanto metia a mão por baixo da saia dela e sentia seu sexo molhado e seu cheiro de fêmea no cio.

— Nossa, que rapidez! Parece que você tem um tempão que não sabe o que é foder. Mas eu vou dar um jeito nisso...

Ela passou a sugá-lo sem piedade até que o pau ficou novamente ereto. Postou-se de quatro e pediu que a penetrasse por trás. Marcílio lembrou-se de Íris, da sua bunda redonda marcada pelo sol, bem diferente daquela, impregnada de celulite. Marcílio cavalgou até gozar e gritou de prazer. Soraya fez eco.

Ela vestiu-se, prometeu mais sexo para o próximo sábado, deu-lhe o envelope com o dinheiro e contou o recado de Nei. Marcílio ficou surpreso, não sabia que ela tinha sido a emissária para buscar o dinheiro na mão de Nei.

Depois da visita, Marcílio foi até a cela do coronel Val.

— E aí, Maia, gostou da minha sobrinha? Ela é gostosa, né? Fui eu quem tirou aquele cabaço ali e ensinou muita sacanagem pra ela. Então aproveite, que um "filezinho" daqueles não é todo dia que você encontra não... É um presente para selar a nossa amizade.

Marcílio sorriu meio sem jeito e agradeceu.

— E aí, o que é que você tem pra mim?

Marcílio entregou-lhe o envelope e quis saber os detalhes sobre a sociedade.

— Fique frio, rapaz! Com isso aqui você vai ficar rico e poderoso de novo. Só que aqui dentro. A partir de agora você é o meu gerente e vai ter 20 por cento do faturamento. Tá bom pra você?

Marcílio concordou e disse que o irmão não daria mais nenhum dinheiro para ele.

— Vamos ver, vamos ver... Tudo vai depender do nosso comércio. Se caminhar tudo bem, não tem porque importunar o seu irmão novamente.

— O coronel Val deixou a ameaça no ar.

Os negócios prosperaram e, pelo menos por enquanto, eles não precisariam do dinheiro de Nei. Val e Marcílio agiam sob a conivência dos agentes penitenciários, que recebiam uma parte do lucro e faziam vistas grossas para a entrada da maconha e das mercadorias trazidas pelos parentes para dentro do presídio. E do medo do diretor, que temia algum tipo de violência contra a sua família a mando do bicheiro, que mantinha um forte esquema criminoso do lado de fora.

Soraya engravidou e, mais uma vez, Marcílio seria pai de gêmeos. Era o destino lhe devolvendo a descendência em dobro, como se quisesse puni-lo de outra forma, colocando no mundo seus futuros algozes. Quando as crianças nasceram, proibiu a mulher de levá-las à penitenciária. A presença delas, como aconteceu com os outros gêmeos, José e João, filhos com Bartira, provocavam lembranças familiares que o incomodavam.

— Você não tinha nada que emprenhar. Não quero filhos, não gosto de crianças, não os traga aqui.

Nasceram duas meninas, Cátia e Carina. A relação dos dois era puramente física, sem amor, sem companheirismo. Ela servia, apenas, para atender suas necessidades sexuais durante as visitas de fim de semana. Muitas vezes faziam sexo sem trocar carinhos, um única palavra de afeto sequer.

Depois do parto, Soraya engordou, os peitos caíram a celulite abundou. Marcílio não sentia mais o menor desejo por ela. Conversou com o coronel Val sobre a separação e quis saber se ele tinha alguma objeção.

— Que nada! Mulher é que nem laranja, depois que acaba o caldo, a gente joga o bagaço fora. Não se preocupe, ela não vai criar problema, desde que você assuma pagar a pensão das crianças.

Marcílio sentiu-se aliviado. Depois de nove anos preso, estava de novo só. Dois meses depois, recebeu a irmã de um preso que devia dinheiro de droga como pagamento em troca da dívida. Gertrudes, negra e jovem, de apenas dezoito anos, carne dura, sexo fácil. A relação durou quatro meses. O preso devedor foi assassinado na cela e a irmã nunca mais voltou à penitenciária para pagar a dívida a Marcílio.

45

O jornalista Fernando Pita já não era mais repórter policial. Agora era o chefe de reportagem do *Jornal da Bahia*. Em vez de correr atrás da notícia, preparava o terreno para que outros repórteres, muitos com os mesmos sonhos e a inexperiência inicial da carreira que ele tão bem conhecia, pudessem correr atrás da notícia. A reportagem sobre a chacina da rua Dallas foi um marco em sua vida. E trazer Marcílio de volta ao noticiário tinha, para ele, um sabor todo especial. Pita elaborou uma pauta baseado em informações que recebeu do delegado Paulo Carvalho, que investigava a participação do coronel Val como o mandante do assassinato de outro bicheiro, que estaria tomando alguns dos seus pontos do jogo do bicho. O delegado disse ao jornalista que Marcílio era apadrinhado de Val e seu braço direito num esquema de corrupção dentro da penitenciária, que envolvia vários funcionários e, inclusive, o diretor. O crime em si, a editoria de polícia do jornal já vinha cobrindo. O que interessava ao jornalista era saber como Marcílio vivia na prisão e até onde ia o seu envolvimento com o coronel Val. Escalou para fazer a matéria um jovem repórter, que, apesar de seus vinte anos, tinha a ousadia e o faro para a notícia de uma velha raposa do jornalismo. Nos últimos dois meses, havia garantido três manchetes de primeira página. Ousado e bom de texto, Itamar Aragão levantou a matéria em três dias. Tentou uma entrevista com Marcílio sem sucesso, mas conseguiu contato com um agente penitenciário que não fazia parte do esquema do coronel Val e conhecia como funcionava a operação. Ele se mostrou disposto a falar, desde que sua identidade fosse preservada. Informou como a droga entrava e quais os funcionários responsáveis pela triagem, que deixavam passar uma média de 10 quilos de maconha por semana. Segundo o agente penitenciário, o diretor sabia de tudo, recebia dinheiro, mas a sua cumplicidade era mais por medo de que o coronel Val viesse a fazer alguma maldade com a sua família do que propriamente pelo dinheiro que recebia. Marcílio funcionava como uma espécie de gerente. Cuidava do controle de caixa e cobrava os devedores. Alguns destes foram mortos por ordem de Val por causa das dívidas. Foi o que aconteceu com Tonhão, irmão da última namorada de Marcílio. Ele chegou a pagar a dívida uma vez oferecendo a irmã para ele. Mas voltou a dever de novo e foi encontrado morto na cela, asfixiado.

Itamar foi atrás de Gertrudes. Ela confirmou que foi "vendida" a Marcílio para pagar a dívida do irmão e que nunca mais voltou à penitenciária, porque temeu ser morta também. O coronel Val tinha avisado a Marcílio, na frente dela, que era para ele "não misturar o negócio com boceta". Aceitou a primeira vez, mas advertiu: se Tonhão fizesse nova dívida e não pagasse, teria que morrer para dar exemplo. E ainda fez um comentário:

— Se todo mundo resolver pagar o que deve com a irmã, filha ou mulher, eu estou ferrado. Boceta não enche barriga de ninguém.

O agente penitenciário deu uma pista que permitiu ao repórter rastrear o dinheiro da organização do coronel Val. Descobriu que ele tinha uma frota de táxi em nome de um "laranja" e que um funcionário do presídio levava o dinheiro e fazia os depósitos bancários. Ele relatou todos os privilégios de Marcílio dentro da prisão e que, depois do coronel Val, era o preso mais temido, "não mais pelos crimes a que foi condenado, mas porque tinha nas mãos o poder sobre a vida e a morte de outros detentos". Era ele quem dizia ao coronel Val se um preso podia ou não continuar devendo. O seu julgamento era decisivo para determinar o destino do devedor. Os que tinham como conseguir dinheiro do lado de fora com os parentes levavam uma surra como aviso e rapidamente providenciavam saldar seus débitos.

— Pelo que eu sei, Marcílio não se envolvia diretamente com as mortes. Acredito que sua cota de sangue se esgotou quando ele matou a família. A ordem partia sempre do coronel, que tem gente "especializada" dentro do presídio para fazer esse tipo de serviço.

Os assassinatos são cometidos por presos devedores que não têm nada a perder, até porque suas penas vão fazê-los apodrecer na prisão e uma condenação a mais ou a menos não faz a menor diferença para eles. Eles matam sem discutir, desde que a dívida seja cancelada.

A reportagem foi divulgada num domingo e, na segunda-feira, o esquema do coronel Val na Penitenciária do Estado foi desbaratado. A operação foi desencadeada pela Polícia Federal, porque vários agentes da Polícia Civil estavam na folha de pagamento do jogo do bicho. Do lado de fora, o *bunker* do coronel Val foi "estourado". O diretor e sete funcionários foram presos. Marcílio foi encaminhado à solitária, onde permaneceu por dois meses e o coronel transferido para uma prisão federal no interior do Mato Grosso.

O delegado Carvalho ligou para o jornalista Fernando Pita parabenizando-o pela reportagem e lamentando que, apesar da "queda" do coronel, não tinha como provar o seu envolvimento na morte do outro bicheiro.

— O que importa é que de um jeito ou de outro aquele infeliz vai mofar na cadeia.

E deu uma nova informação sobre Marcílio. Por conta do seu envolvimento no esquema do coronel Val, o pedido dele para a obtenção de regime de prisão semiaberta, por já ter cumprido mais de um sexto da pena, foi negado pela Justiça e ele levaria mais três ou quatro anos para obter o benefício.

— Isso se ele não se envolver novamente em confusão na penitenciária, coisa que duvido muito — acrescentou o delegado.

Marcílio deixou a solitária sujo, pálido e ainda mais gordo, barbudo. E o que é pior, jurado de morte. Perdeu as regalias e voltou a dividir a cela com outros sete presos. Temia pela vida. Solicitou uma audiência com o novo diretor e pediu transferência de presídio, porque conhecia bem os códigos da cadeia e fez muitos desafetos silenciosos. Mais cedo ou mais tarde teria que prestar contas. Ele já sentiu o clima pesado no refeitório, durante o café da manhã. Alguns presos o olhavam enquanto comiam e faziam comentários entre si. Durante o banho de sol, procurou um canto isolado de onde tinha visão ampla do pátio e ficou observando a movimentação dos detentos. Percebia os olhares. A sombra da ameaça pairava no ar. Estava com medo. Nos últimos anos, havia alimentado o ódio de muitos daqueles homens, mas sentia-se seguro porque estava sob a capa protetora do coronel Val. Alguém que ousasse tocar num fio de cabelo seu por certo pagaria com a vida. Mas os ventos mudaram. O ódio está para a prisão, como a palha está para o fogo.

46

Com o dinheiro que ganhou na prisão, Marcílio contratou um advogado particular para dar andamento ao pedido de prisão semiaberta, que deveria ser julgado exatamente na semana em que estourou o escândalo. Como a primeira condição para que o preso ganhe o benefício é o bom comportamento durante a reclusão, o juiz negou o pedido sumariamente. Marcílio não merecia. Livre, pelo menos durante o dia, porque à noite seria obrigado a retornar ao presídio, tinha planos de dirigir um dos táxis da empresa fantasma do coronel Val. Tudo foi por terra. O advogado, jovem recém-formado e ainda sem muito traquejo nos meandros da lei, foi até a penitenciária comunicar a Marcílio a decisão da Justiça. Ele se desesperou.

— Você tem que me tirar daqui, porra! Dê um jeito de me transferir daqui, caralho! A qualquer hora eu vou ser morto, eu estou jurado de morte. Pra que merda você serve? Fale com o juiz, fale com o diretor, fale com a puta que o pariu, mas me transfira daqui!... Enquanto eu estou nessa merda, o filho da puta do meu irmão está lá fora torrando o meu dinheiro.

Sem muita autoridade com o "cliente" e sem ter muito o que fazer, o advogado prometeu entrar com um novo pedido para a remoção de Marcílio. Sabia, de antemão, que não daria em nada. Como já esperava, o juiz negou, mesmo com o advogado alegando que a vida dele estava correndo sério risco.

Marcílio passou a noite em claro. Acendeu um baseado e ofereceu aos companheiros de cela, como se estivesse circulando um cachimbo da paz. Ninguém aceitou, num claro sinal de hostilidade. Ele era o inimigo e estava acuado. Sabia que dificilmente seria atacado por um dos companheiros de cela, porque se o fosse todos seriam incriminados. Dos sete presos com os quais partilhava o espaço, quatro deles também aguardavam decisão sobre o regime semiaberto. Não arriscariam trocar a liberdade pela vingança. O temor maior era durante o dia, no pátio, durante o banho de sol. Ficou atento. Ao longo da semana seguinte ninguém o importunou. Ele imaginou que o perigo havia passado. No sábado pela manhã, dia de visita, o novo "dono" do presídio foi até a cela de Marcílio, acompanhado de dois outros presos. Sabia que ele estava com medo e foi estabelecer o preço pela sua vida.

Salomão, assaltante de banco, com pelo menos três assassinatos nas costas e condenado a mais de cem anos de prisão, sempre agiu como um coadjuvante na hierarquia liderada pelo coronel Val. Não podia confrontá-lo e, sabiamente, estabeleceu uma convivência pacífica. Respeitavam-se tacitamente. Salomão liderava o grupo de presos mais violentos da penitenciária, mas não tinha lastro financeiro para empreender o seu próprio negócio. Com o expurgo do coronel, assumiu naturalmente a liderança dos presos e do esquema, mas precisava de dinheiro. Por isso Marcílio continuava vivo.

— Branquelo, a parada é a seguinte: você "magoou" muita gente aqui dentro e tá vivo ainda por causa da minha vontade, tá sabendo? Quanto é que você acha que vale a sua vida?

A morte, tão íntima, agora vinha em direção contrária. E ele teve medo.

— Sei que você tem como descolar um "capim" lá fora, coisa gorda, se quer continuar vivendo. Tem uma semana pra botar aqui na minha mão dez mil cruzeiros. E a partir de agora você vai trabalhar para mim. Estamos entendidos?

Antes que Marcílio abrisse a boca para concordar, recebeu de Salomão um soco no rosto.

— Quem tá aqui dentro, branquelo, matou e roubou por precisão, pra se defender e pra defender o leite das crianças. Aqui ninguém matou mãe, porque mãe não se mata. Ninguém matou por sacanagem. Quem está aqui só matou mesmo por necessidade.

Marcílio, acuado, andou de costas para o fundo da cela, procurando a fuga impossível, buscando a proteção improvável. Salomão deu mais um soco que fez o nariz de Marcílio sangrar.

— Isso é pra você não ter dúvida de quem manda aqui agora.

Saiu da cela e ordenou que os comparsas dessem continuidade ao serviço.

— Quebra esse infeliz o suficiente para ele ficar só dois dias no molho. Morto, ele não me serve pra nada.

Durante dez minutos, Marcílio apanhou impiedosamente. Gritava, chorava, procurava se encolher para proteger-se dos golpes e, ao final da surra, havia perdido dois dentes, fraturado duas costelas e estava com o rosto todo deformado. Foi levado desacordado para a enfermaria, onde passou todo o final da semana. Ao sair, foi até Salomão, submisso, agradecer a vida e disse que tinha um dinheiro guardado com a amante do coronel e que precisava mandar uma mensagem para ela. Santinho concordou e conseguiu um mensageiro: o mesmo agente carcerário que havia delatado o esquema anterior. Na mensagem, Marcílio ameaçou:

"se não mandar a grana, vai sobrar pra você aí fora". Uma semana depois, Salomão tinha nas mãos o capital de que precisava para iniciar o seu "negócio". Abria-se, assim, um novo ciclo de corrupção na Penitenciária do Estado, agora sob nova égide.

47

Marcílio já estava preso havia mais de doze anos. Sua condenação, após a revisão da pena, passou de trinta e um para um total de quarenta anos e seis meses em regime fechado. Ele já não lembrava mais aquele jovem rico e bonito que assassinara quatro pessoas da família e levou ao delírio mulheres e adolescentes em frente à delegacia no dia em que foi preso. Aos trinta e dois anos, parecia um ancião. Cabisbaixo e cansado. Curvado com o peso do tempo e da culpa. Começava a apresentar os primeiros cabelos brancos nas têmporas e na barba. Havia engordado vinte quilos. Tinha cicatrizes no rosto e andava com dificuldades por causa das pancadas que sofreu a mando de Salomão. As vozes que um dia fingiu ouvir para enganar a família, Bartira, o defensor público João Meira, o psiquiatra Rogério Coutinho e a Justiça — ou a si mesmo — agora pertenciam a personagens de carne e osso, que atormentavam a sua mente e ameaçavam a sua vida. Eram demônios reais que estavam lhe apresentando a conta. E que viviam ali, ao seu lado, sob o mesmo teto, comendo a mesma comida ruim e gordurosa, respirando o mesmo ar salobro da cela, dividindo a mesma ração de sol entre aqueles muros intransponíveis. Sem ter para onde fugir, sem ter a quem recorrer. Seus algozes eram como ele, de espírito impregnado de ódio e desprezo. Insensíveis e descrentes de tudo e de todos. Sem fé, sem esperança, desprovidos de qualquer sentimento nobre.

Sem o poder que tinha quando era sócio do coronel Val, Marcílio virou refém de Salomão, que não perdia oportunidade de humilhá-lo e ameaçá-lo. Deu o dinheiro, mas não usufruía do negócio. Cuidava da contabilidade, mas não tinha privilégios. Ou submetia-se, ou morria. Desesperado, escreveu ao seu advogado relatando a situação e pedindo providência e pressa para que fosse transferido, uma vez que a possibilidade de conseguir o regime semiaberto estava cada vez mais distante. O pedido, novamente, foi negado pelo juiz.

O desejo de vingança era o seu alimento cotidiano. E só havia um caminho para reverter a condição submissa em que se encontrava: enfrentar Salomão. Marcílio, então, resolveu falar grosso. Era tudo ou nada.

— Estou fora, chega de ameaças, cara! Faça o que você quiser. Cheguei no meu limite. Do jeito que tá não dá mais, e uma coisa eu garanto: antes de morrer eu levo pelo menos um comigo. Quer pagar pra ver?

Salomão já esperava que, mais cedo ou mais tarde, Marcílio reagiria daquela maneira. Já esticara a corda o suficiente e sabia que o havia explorado além da conta.

— Aí, branquelo, qual é? Ficou valente de uma hora pra outra, foi? Perdeu o medo de morrer?...

— Eu já sou um cara morto. Só não quero mais é ser saco de pancada de negro filho da puta nenhum. Fodido por um, fodido por mil... Você me mata e bota um desses sacanas aí que ficam lhe babando o ovo aqui pra cuidar dos negócios...

Salomão percebeu que teria muito a perder, caso Marcílio saísse do negócio e cedeu.

— Taí, gostei de ver. Senti firmeza. Pode ficar tranquilo, que daqui pra frente ninguém mexe mais com você. E ainda por cima vou botar uma boceta em tuas mãos.

Mas Marcílio queria mais.

— Tudo bem, mas eu quero mudar de cela e 20 por cento do negócio.

Salomão concordou com a mudança, mas ofereceu apenas dez por cento. Marcílio aceitou e, no sábado seguinte, dia de visita, foi agraciado com um "presente" especial: Soninha, vinte e quatro anos, negra faceira, irmã de Justino Bispo Ferreira, um detento conhecido por Cabo Verde, assim chamado por ser mulato de olhos claros. Soninha foi dada como pagamento de dívida para Salomão, que a teve como amante durante seis meses e já não queria mais nada com ela.

Cabo Verde entrou para o crime aos doze anos. Vivia solto pelas ruas do centro de Salvador fazendo pequenos furtos para comprar e cheirar cola. Herdou os olhos verdes do pai que nunca conheceu, um marinheiro holandês que se deitou uma única vez com a sua mãe, prostituta que frequentava o porto e os navios ancorados na Baía de Todos os Santos. Até os dezoito anos foi preso cinco vezes e passou praticamente toda a adolescência internado na Febem. Apesar do físico atarracado, era forte, valente e destemido. Aos vinte anos, foi preso depois de matar um homem numa tentativa de assalto a um ônibus. Levou um tiro na perna esquerda que o deixou manco. Cumpria dezoito anos de reclusão.

Depois de longo tempo sem fazer sexo, Marcílio voltou a sentir o calor de uma mulher. Soninha, de estatura baixa, curvas acentuadas e carne dura, lembrava Íris. Ficaram juntos, naquela tarde de visita, por mais de duas horas. Ele parecia um felino faminto. Mordeu-a, chupou-a, penetrou-a com estocadas rápidas e violentas, enquanto ela gritava de prazer, pedindo-lhe que batesse forte no seu rosto, porque era assim que gostava de gozar. A cada bofetada, ela parecia anestesiar-se com a dor e ficava mais excitada. Soninha passou a visitá-lo todos os sábados e tornou-se o elo que ele precisava com o mundo exterior. Por intermédio dela enviou várias cartas a Nei e Vânia. Todas com ameaças veladas sobre os seus direitos à herança do pai.

Para ter maconha de graça, Cabo Verde seria capaz de qualquer coisa, e Marcílio sabia disso. Ele foi um dos três presos que o surraram a mando de Salomão. De inimigo agressor, acabou perdoado, porque Marcílio o queria como aliado. Cabo Verde passou a cuidar da sua segurança, com responsabilidade de guardar suas costas, protegê-lo de ameaças, além de ouvir e observar os presos que considerava traiçoeiros. Mas o interesse de Marcílio por Cabo Verde não parava por aí. Durante o tempo em que foi subjugado por Salomão, cultivou uma vingança, que parecia impossível. Além de violento e forte, o chefe do presídio era muito bem protegido por uma milícia de dez homens, que se revezavam na sua segurança. E Cabo Verde era um deles. O momento, agora, era propício. Era só uma questão de tempo e oportunidade. Salomão, assim como aconteceu com o coronel Val e o próprio Marcílio, acumulou desafetos à medida que a dívida dos presos crescia. As punições com as surras ou a morte eram cada vez mais frequentes e não faltava gente disposta a vê-lo pelas costas, de preferência morto. Cabo Verde mataria Salomão, desde que tivesse cobertura, ajuda e benefícios. E era o que Marcílio tinha para oferecer.

Cabo Verde arregimentou dois detentos que faziam parte da segurança de Salomão e ofereceu vantagens para que o ajudassem no assassinato do chefe. Três meses depois, Salomão foi encontrado morto na cela, asfixiado com um pedaço de fio da rede elétrica. A direção do presídio abriu sindicância para apurar o crime, mas ninguém foi denunciado.

Marcílio anistiou os devedores e saiu do negócio, que passou a ser comandado por Cabo Verde. Sua preocupação agora era a liberdade e, para consegui-la, precisava ficar "limpo" no presídio. Dentro de duas semanas o seu pedido de prisão semiaberta seria julgado e o advogado garantiu que dessa vez seria concedido.

Cultivava outra vingança. Esta, porém, do lado de fora.

48

Havia quinze anos e três meses que Nei não via o irmão. Durante esse tempo recebeu a visita de Soraya pedindo dinheiro e várias cartas com ameaças. Obteve algumas informações de como Marcílio levava a vida no presídio. Porém, tudo regido a distância. Sabia que ele tinha quatro filhos, mas nunca teve contato com as crianças. Por meio dos jornais, tomou conhecimento do seu envolvimento com a corrupção no presídio e que, por conta disso, os pedidos de liberdade condicional e regime semiaberto foram sistematicamente negados. Mais cedo ou mais tarde — Nei tinha certeza —, ele estaria em liberdade e o procuraria para um acerto de contas. Estava preparado. No campo jurídico, Marcílio não tinha nenhum direito. No campo pessoal, temia por sua vida. O irmão era traiçoeiro e ambicioso. Como sempre fazia todas as manhãs ao chegar ao escritório, Nei parou na banca de revista e comprou os jornais. A notícia, estampada na primeira página do *Jornal da Bahia*, não deixava dúvidas: "Marcílio Moura Maia ganha liberdade". Não se surpreendeu com a soltura do irmão, mas assustou-se com o que poderia acontecer dali para a frente.

A informação de que Marcílio deixaria a prisão na manhã seguinte chegou à redação do *Jornal da Bahia* no final da noite, minutos antes do fechamento da edição. O delegado Paulo Carvalho, informado pelo defensor público João Meira, ligou imediatamente para o jornalista Fernando

Pita, de quem se tornara um bom amigo e fonte segura de informações.

— Meu caro Pita, a notícia que tenho para lhe dar tem tudo a ver com aquele dia em que você quase fodeu com a minha vida, mas pelo qual lhe tenho eterna gratidão. Como você foi o repórter que deu o furo da prisão de Marcílio Moura Maia, agora você vai dar, em primeiríssima mão, a notícia da liberdade dele. Amanhã pela manhã ele sai da Penitenciária do Estado e entra na condicional.

Pita agradeceu por mais esse furo. Ao desligar o telefone reconstruiu na mente todo o começo da sua carreira. O tempo de Marcílio na prisão era o mesmo que ele tinha de profissão, agora no cargo supremo do *Jornal da Bahia*. Era o editor-chefe. Não ia mais para as ruas à caça de notícias. Mas dessa vez o jornalista não escalou nenhum repórter para fazer a cobertura da matéria. Ele mesmo, depois de anos longe das coberturas policiais, foi com um fotógrafo para a porta da Penitenciária do Estado. Queria ver de perto o desfecho de uma história que, embora trágica, mudou substancialmente a sua vida, quando tinha dezoito anos, abrindo as portas para o futuro profissional que sempre almejou. Relembrou o seu feito na cena do crime, quando os jornalistas tiveram acesso à casa da rua Dallas. Ao invés de segui-los no andar de cima, preferiu descer ao porão em busca de algo diferente. Encontrou e levou para a redação do jornal o diário de João, o irmão esquizofrênico também assassinado. Aquela peça foi decisiva para a solução do caso e lhe garantiu uma carreira como repórter. Durante a prisão de Marcílio, Pita mais uma vez surpreendeu e foi o único repórter a testemunhar o exato momento em que o delegado Carvalho o algemou durante sua tentativa de fuga. Aquele homem, que às 7 da manhã do dia 11 de junho de 1985 transpunha o portão de aço da Penitenciária do Estado, embora não soubesse, teve, definitivamente, um papel na sua história.

Pita não queria entrevistá-lo, apenas vê-lo novamente. O que tinha que escrever sobre ele já o fizera nos momentos adequados. A última notícia sobre o crime da rua Dallas, agora, não passaria de uma pequena matéria no canto da página policial com a devida foto, registrando o fim de uma história trágica. Sem sensacionalismo e, pela sua óptica apurada de jornalista, sem mais importância para os leitores, que em sua grande maioria ou desconhecia ou não dava mais importância ao fato, pelo tempo em que ocorreu. Fernando Pita devia isso a Marcílio. Tudo o que ele precisava, agora, para dar continuidade à vida, era de paz. Os crimes que cometera caíram no esquecimento. Ele não era mais notícia.

O Marcílio que deixava o presídio era outro homem, pelo menos fisicamente. O tempo e o cárcere o envelheceram além da conta. Aos trinta e cinco anos parecia ter mais de cinquenta. Depois de quase metade da vida atrás das grades tinha a barba e os cabelos crescidos e grisalhos. Engordara cerca de vinte quilos. Seu andar era lento e pesado. Saiu de mãos vazias. Deixou para trás os quadros que pintara, tintas, pincéis, mas não a Bíblia que ganhara da irmã. Aqueles objetos não lhe teriam serventia alguma. Não continuaria pintando, porque não tinha o menor talento para as artes. Mas não rezaria mais, porque era um homem sem fé. De valor mesmo, levou o diário cifrado com as suas lembranças, dores e amarguras. Entrara na prisão com quatro familiares a menos, que ele havia tirado a vida. Saía com quatro a mais, que ele havia dado à vida. Nunca conhecera os filhos nem sabia o paradeiro deles. O editor acompanhou a saída de longe, afastado do grupo de repórteres e fotógrafos que acorreram em direção a Marcílio com perguntas que sabiam, de antemão, não teriam respostas: "O senhor está arrependido?", "Vai reivindicar sua parte na herança?" O que o senhor pretende fazer daqui em diante?" Marcílio, pela última vez em sua vida, se confrontaria com aquele batalhão armado de câmeras e microfones. Não tinha nada a falar. Conseguiu vencê-los com dificuldade e caminhou solitário e cabisbaixo em direção ao ponto de ônibus. Só. Não havia ninguém a esperá-lo. No dia seguinte, Nei, como de costume, parou na banca de revista para pegar os jornais e foi surpreendido por um homem de aparência sombria e malvestido, que lhe tocou o ombro pelas costas. Ao virar-se deparou com o irmão. Demorou alguns segundos até reconhecê-lo.

— É você?

— Claro que sou. Quem é vivo sempre aparece — respondeu Marcílio cinicamente.

Nei, assustado, questionou:

— O que é que você quer comigo?

Marcílio, cínico, procurou tranquilizá-lo.

— Calma. Não vai perguntar como é que eu estou?

— Não. Não me interessa.

— Pois eu estou na merda e você vai me tirar dela, porque senão eu vou estar aqui todos os dias ou na porta da sua casa, onde quer que você esteja. Em frente ao colégio dos seus filhos. Na porta do trabalho da sua mulher. Eu vou ser a sombra negra que vai tirar a sua paz definitivamente.

— Você já tirou a paz de todos nós, seu assassino, quando matou quase toda a nossa família. E agora vem aqui querer me ameaçar? Eu dou uma queixa e mando você de volta para a penitenciária.

Marcílio sorriu. Conseguira o seu objetivo. Desestabilizara o irmão. Nei estava apavorado.

49

Celestina Aroeira, ou apenas Aroeira, foi abrir a porta se arrastando nos pés. Estava muito doente, com diabetes e artrite. Era uma mulher forte, autoritária e poderosa, responsável por cuidar dos negócios do coronel Val durante o período em que ele esteve preso na Penitenciária do Estado. Com a transferência dele para o presídio de segurança máxima em Campo Grande, a vida e os negócios começaram a se complicar para Aroeira. Val perdeu os pontos de bicho, já não tinha mais o comércio de drogas, favores e proteção dentro da prisão, e a justiça confiscou todos os bens acumulados com o crime. Com a morte do amante três anos depois — vítima de um infarto fulminante, segundo versão da diretoria do presídio —, Aroeira ficou na mais absoluta miséria. Para sobreviver, vendeu os três táxis, um dos quais Marcílio acreditava ser dele e passou a morar numa casinha de vila na periferia de Salvador.

Marcílio entrou na casa aos empurrões.

— A senhora sabe quem eu sou?

Mesmo debilitada, Aroeira teve forças para manter a arrogância.

— Sei, sim, senhor, mas o senhor perdeu a sua viagem. Como pode ver, eu não tenho nada para lhe dar.

Marcílio deu-lhe uma bofetada, levando-a ao chão.

— Perdi a viagem um caralho, eu quero o meu dinheiro.

Aroeira desmontou e suplicou pela vida.

— Você não vê que eu estou na miséria, não tenho nem dinheiro pra comer e comprar os remédios, Val morreu, a festa acabou, nós perdemos tudo. A Justiça tomou uma parte, a bandidagem levou a outra. Eu estou na merda e não vai adiantar nada você me bater ou me matar. Só vai é complicar ainda mais a sua vida.

Marcílio deu um chute forte no abdome de Aroeira, que continuava caída no chão, e deixou a casa, derrubando tudo o que via pela frente. Estava furioso. Voltou para o quarto barato que havia alugado no centro da cidade, deitou-se e dormiu. Acordou no final da tarde. Não tinha para onde ir, não tinha com quem conversar, não tinha o que fazer. A liberdade, agora, era a sua maior prisão. Saiu pelas ruas andando sem rumo e chegou ao Porto da Barra. Comprou um "baseado" na mão de um vendedor de coco e saiu fumando e caminhando pela praia. Sentia-se perdido. A brisa marinha o incomodava, aquele vaivém de maré molhando os seus pés o convidava a um mergulho definitivo. O sol se pondo por trás da ilha o agredia com sua beleza. A amplitude de todo aquele cenário não fazia parte do seu mundo amargo. Estava com sede e com fome. Comeu um cachorro-quente e bebeu uma Coca-Cola. Era o que o pouco dinheiro que tinha dava para comprar.

Nei, agora, era a sua única alternativa de sobrevivência. Nem que para isso tivesse que matar novamente. Retornou à pensão, deitou-se, ligou a tevê e adormeceu. O dia seguinte seria decisivo.

Marcílio desceu a ladeira da Montanha, andou pelas ruas da cidade baixa, parou num bar em frente ao prédio onde Nei tinha escritório. Bebeu uma pinga de um só gole, como se tomasse um aditivo à coragem. Viu quando Nei chegou. Entrou logo em seguida, se identificou e disse à recepcionista com quem queria falar. Estava sujo, mal-cuidado, exalando cheiro de suor e cachaça. A moça foi anunciá-lo.

— Doutor Nei, tem um homem horroroso aí fora que-rendo falar com o senhor. Disse que é urgente e que o se-nhor sabe quem é e do que se trata.

Nei não teve dúvidas. Estava calmo. Sabia que Marcí-lio o importunaria conforme ameaçara. Mandou a recep-cionista encaminhá-lo para a sala de reunião. Aguardou al-guns minutos e foi ao encontro do irmão. Dessa vez estava decidido sobre como tratar a questão. Havia se aconselha-do com doutor Nelson Wright. Seria duro, mas concederia, pelo menos em parte.

Marcílio ameaçou falar, mas Nei o interrompeu.

— Não, quem vai falar agora sou eu e você vai ouvir calado. Em primeiro lugar, quero lhe dizer que não vou me submeter à sua arrogância. Você destruiu a nossa família da maneira mais torpe que a imaginação de alguém poderia conceber. O que você viveu e vive nesses últimos dezesseis anos é fruto meramente do que você plantou. Mas não es-tou aqui para julgá-lo. A própria vida, a justiça e Deus se incumbiram disso. Tudo o que eu e Vânia queremos é que você nos deixe em paz e sei que para isso teremos que pa-gar um preço, embora você não mereça, nem por direito, nem por solidariedade, tampouco por piedade. Vamos pa-gar, sim, porque queremos ver você pelas costas. E um aviso: depois que você sair por aquela porta nunca mais quero ver o seu rosto ou saber notícias suas. Caso contrário, vou de-nunciá-lo, comunicar à Justiça sobre suas ameaças e aí você volta para a cadeia para cumprir o restante da sua pena. Que fique muito claro, não tenho medo de você. O que tenho para lhe propor é definitivo. É pegar ou largar. Não tem negociação. Para quem não tem onde cair morto, o que vou lhe oferecer certamente é mais do que você precisa para tocar essa sua vida miserável em frente.

Nei ofereceu uma quantia significativa para Marcílio. Dinheiro suficiente para ele viver razoavelmente durante um bom tempo da vida. Ao mesmo tempo, seguindo orientação do dr. Wright, informou que a doação seria registrada em cartório e informada à Justiça, mesmo sabendo que os aspectos legais pouco valiam para o irmão. Abriu uma mala à sua frente e mostrou o dinheiro ao irmão.

— Com esse dinheiro, você pode retomar a sua vida longe daqui, num lugar onde ninguém o conheça e deixar a gente em paz.

Marcílio aceitou. Mas o ódio exalava dos seus poros. Ele olhou com desdém o conteúdo da valise, fechou-a e, antes de deixar a sala, perguntou em tom de ameaça:

— Quanto você acha que custa uma família? A nossa lhe rendeu uma fortuna que o fez um dos homens mais ricos da Bahia. E a sua família, quanto vale? Isso que está aqui? Você não acha que é muito pouco?

Nei segurou-o pela gola da camisa e ameaçou:

— Se acontecer alguma coisa com o meu filho ou com minha mulher, eu juro que mato você com as minhas próprias mãos e não vai ter juiz no mundo que me condene por ter tirado da face da Terra um assassino como você.

Marcílio pegou a sacola e saiu com um riso sarcástico no canto na boca. Entrou num táxi e retornou ao hotel. Retirou um maço de dinheiro e escondeu a valise sob a cama. Saiu à rua e entrou num bar. Pediu um Campari e sentiu o sabor do passado, de memórias com a cor da bebida. Girou o gelo com o dedo e buscou suas perdas no tempo. Sorveu a amargura da família perdida, da juventude jogada fora, da paz nunca vivida. Estava só. Com o dinheiro que tinha na mão daria para deixar Nei em paz por um bom tempo. Três, quatro anos, talvez. Uma prostituta aproximou-se e ele a convidou para beber e comer. Depois voltou para o hotel e fez sexo por toda a tarde. Um mês depois mudou-se para um pequeno apartamento. Com o dinheiro que tinha em mãos pensou em abrir um negócio. Um bar, talvez, mas desistiu da ideia porque imaginou que ficaria sem frequência assim que descobrissem o seu passado. Comprou um táxi. Poderia circular pela cidade transportando passageiros anônimos, que sentariam no banco de trás e não teriam como identificá-lo ao volante. Poderia circular pela cidade, sem que ninguém soubesse quem era e o que havia feito. Quase duas décadas depois — imaginava — poucos ainda lembrariam dele e do crime.

50

Era um domingo, Marcílio não saiu com o seu táxi para trabalhar. Apesar da dor de cabeça que teve na noite anterior, ligou para Luziane, uma prostituta que levava à sua casa algumas vezes, e a convidou para almoçar numa churrascaria. Atribuiu a dor ao excesso de trabalho. Rodava com o táxi de domingo a domingo para encher o tempo e a vida. Não tinha um amigo para conversar, uma mulher para trocar confidências, uma família esperando no final do dia. Raramente parava. Acostumara-se à solidão que a liberdade lhe impunha. Circulava pela cidade sem que o reconhecessem. E isso era bom. Sabia que nenhum passageiro entraria novamente no seu táxi se soubesse do seu passado sinistro.

Tomou banho, perfumou-se com alfazema, vestiu uma camisa colorida e foi buscar Luziane. Queria espairecer, fazer algo diferente. Comeu e bebeu além da conta. Voltou para casa, fumou maconha e fez sexo. De madrugada, passou mal novamente. A dor de cabeça voltou ainda mais forte, sua visão ficou turva, tinha enjoo e tontura. A princípio, acreditou que a enxaqueca foi potencializada pelo excesso da comida, bebida e maconha. Luziane propôs levá-lo ao pronto-socorro, mas ele não achou necessário. Ingeriu dois comprimidos de analgésico e tentou dormir. Levantou-se pela manhã e a dor prosseguia, parecendo que ia explodir sua cabeça, arrebentar o seu crânio —, descreveu.

— Dói muito, não estou suportando e está tudo escuro, não consigo enxergar nada.

Luziane insistiu e o levou ao pronto-socorro. Encaminhou-se para a triagem e ouviu do atendente que ele teria que esperar. Ela insistiu dizendo que o caso era muito grave, que embora ele não estivesse sangrando, não tivesse ferimento aparente, ele estava muito mal, parecia ter sofrido um acidente vascular cerebral. Não teve jeito, a prioridade eram os feridos. Os corredores e a recepção do hospital estavam repletos de pessoas gemendo, miseráveis vítimas da indiferença de funcionários públicos insensíveis à dor alheia de tão acostumados que estavam com aquele cotidiano. O cheiro de sangue, que um dia foi tão familiar a Marcílio, impregnava o ar. A dor era intermitente. Ia e voltava em espasmos cada vez mais frequentes e insuportáveis. Gemidos de feridos e gritos desesperados de mães e filhos das vítimas clamando socorro faziam do espaço um verdadeiro inferno. Marcílio pediu a Luziane que o tirasse dali e o levasse a uma clínica particular. Ele tinha dinheiro para pagar.

— Eu fiquei cego, agora não dá para ver nada, tá tudo escuro.

Ela entrou na clínica gritando por socorro e ele foi imediatamente atendido por um enfermeiro que o encaminhou para a sala do médico, enquanto a mulher preenchia uma ficha na recepção. O doutor começou a examiná-lo. Ainda não sabia o seu nome, até que a atendente entrou na sala e entregou-lhe a ficha. Dr. Robson Cruz sabia bem de quem se tratava. Apesar da aparência completamente diferente do jovem que há duas décadas protagonizou uma chacina familiar sem precedentes, o nome não deixava dúvida. Naturalmente, não fez nenhum comentário. Pediu que Marcílio se acalmasse e começou a fazer perguntas sobre o que sentia, quando os sintomas começaram, se já havia acontecido isso outras vezes. Marcílio confirmou ao médico que daquela maneira foi a primeira vez, mas que ao longo dos anos sempre teve fortes dores de cabeça, muitas vezes com alucinações. Mas nunca com a perda da visão como ocorria agora. Pelos sintomas, o médico descartou a possibilidade de um AVC.

Marcílio foi submetido a uma ressonância magnética e o resultado já era previsível ao médico. Ele estava com um tumor no cérebro, de volume considerável. Restava saber a gravidade, se era maligno ou benigno. E, para tanto, seria necessário uma série de exames.

Luziane permaneceu o tempo inteiro com ele. Era uma boa moça. Tinha vinte anos. Veio de uma cidadezinha do interior para Salvador aos quinze anos, trazida por um tio com a promessa de que trabalharia como babá. Logo descobriu que caiu numa armadilha. As intenções do tio, irmão do seu pai, eram outras. Foi entregue a uma cafetina e acabou prostituindo-se. Havia um mês que conhecera Marcílio, que a contatou por meio de um classificado de jornal. Era a quarta vez que o "atendia" e parecia gostar dele, que a tratava muito bem, diferente dos homens que a requisitavam para programas em hotéis baratos. Luziane contou toda a sua vida para ele. A pobreza da família, o trabalho na roça, a doença da mãe, a ignorância do pai e o assédio do tio, um mascate, que a importunava desde quando ainda era uma garota, dando-lhe doces e colocando-a no colo, prometendo levá-la para a capital quando crescesse para trabalhar de dia e estudar à noite. Quando deixou a família, Luziane acreditava que aquela seria a sua redenção e um alívio para os pais. Uma boca a menos para dividir a pouca comida na mesa. Foi violentada pelo tio na primeira noite em que ficaram juntos longe da família. Tentou resistir, mas foi agredida e forçada a fazer sexo com ele seguidamente. Marcílio nunca falou sobre o seu passado, mas confessou que se conhecesse o tio de Luziane o mataria com prazer. O médico sugeriu a transferência dele para um hospital onde pudesse fazer todos os exames e ser avaliado por um neurocirurgião. Marcílio estava desesperado.

— Esse é o meu castigo, Luzi... Esse é o meu castigo... Não foi a prisão, nem minha consciência me atormentando por toda a vida, o castigo que estava guardado para mim. Essa, sim, vai ser a grande penitência. A escuridão absoluta. Primeiro em vida e depois na morte.

— Do que você está falando, que castigo, que prisão? Você já esteve preso?

Luziane o abraçou. Marcílio chorou muito. Derramou, talvez, a primeira lágrima verdadeira em toda a sua vida. A cegueira o empurrou num vazio como se o mergulhasse nas profundezas do seu passado sombrio. Ele tateava o espaço à procura de uma luz que na verdade nunca teve. A partir daquele blecaute físico, materializava-se a escuridão espiritual de toda a sua existência.

Retornaram para casa, silenciosos. Luziane quis saber se ele tinha alguém, algum parente que pudesse cuidar dele. E Marcílio, sentado à cama, contou o seu passado. Os crimes, a prisão, os filhos que rejeitou, os irmãos que o desprezavam. Após ouvir a confissão de Marcílio sobre o seu passado ela não fez nenhum comentário. Ela comprometeu-se a cuidar dele. Ministrou-lhe os remédios, o fez dormir e foi buscar seus poucos pertences na pensão onde morava. Retornou no começo da tarde. Comprou alguns mantimentos e fez almoço para ele, que se recusou a comer. No dia seguinte, o levou ao Hospital do Câncer, onde ficou internado. O tumor era grande e maligno e estava concentrado no lóbulo occipital, a parte traseira do cérebro. Realizar uma cirurgia para remoção seria de alto risco. Marcílio seria tratado com sessões de rádio e quimioterapia. E o tratamento, ante a gravidade do caso, deveria ser iniciado imediatamente. Após duas semanas recebendo cargas pesadas de química e radiação seus cabelos caíram, perdeu muito peso, definhou. Recuperou parcialmente a visão, mas precisava tomar doses cavalares de morfina para conter a dor. Agora via vultos e tinha alucinações, semelhantes às que fingia durante a prisão antes do julgamento. Luziane ia todos os dias ao hospital. Permanecia grande parte do tempo sentada numa cadeira de aço desconfortável ao lado do seu leito na enfermaria segurando sua mão. Sentia pena dele. Olhava-o com ternura. A doença dele acabou sendo responsável por ela deixar a prostituição forçada. Sentia-se novamente digna, apesar do infortúnio. Acreditava que a sua presença ali, ao seu lado, era um desígnio de Deus. Nos poucos momentos em que ficava acordado, Marcílio insistia em dizer-lhe que ela estava perdendo tempo com um sujeito como ele, que tinha um passado assustador, um presente doloroso e um fim previsível e trágico.

— Você está aí ao meu lado cheia de vida e a morte aqui do outro lado da cama, desdenhando da minha dor. Ela vai me levar muito em breve, só está esperando eu esgotar a minha cota de sofrimento.

Luziane desconversava, afirmava que o tratamento estava dando resultado e que muito em breve ele deixaria o hospital, voltaria para casa e retomaria a sua vida. Marcílio, descrente, virou o rosto para o lado da morte. E dormiu.

51

Marcílio havia passado muito mal à noite. A morfina já não fazia mais o mesmo efeito sobre a dor, após dois meses de internamento. Luziane chegou cedo, como fazia todas as manhãs. Ele estava acordado e chorando. Chorava de dor, chorava porque tinha consciência de que sua hora estava chegando. A morte não estava mais sentada ao seu lado da cama, mas sim deitada sobre ela, encostada ao seu corpo, pronta para enlaçá-lo. No dia anterior, o paciente que ocupava um dos leitos da enfermaria morreu e Marcílio acompanhou todo o processo de remoção do corpo e a indiferença dos enfermeiros, já acostumados com a rotina imposta pelo sofrimento e pelo alívio da morte: "Esse agora vai descansar e dar um descanso pra gente", comentavam. A cama mal esfriou e já tinha outro infeliz a ocupá-la.

Luziane tentou confortá-lo, sem ter muito o que dizer. Ele segurou a sua mão e disse que não estava chorando só pelo sofrimento que vivia, tampouco pelo fim que se avizinhava, mas pelo que havia feito da sua vida.

— Luzi, tudo o que eu quero e necessito é partir. Cansei. Acho que foi preciso chegar a esse estágio para que pudesse acreditar em Deus. E se agora acredito, não é pelo bem que Ele é capaz de fazer, mas pelo castigo que Ele impõe aos maus, aos descrentes, aos impiedosos, aos prepotentes, aos egoístas, aos arrogantes, aos ambiciosos. E a vida inteira eu fui tudo isso. Juro, acredito Nele, mas continuo sem acreditar em milagres. Deus não pode fazer nada por mim, até porque não mereço. Não quero o Seu perdão para me livrar do que me espera depois da morte, até porque creio que até para Ele deve haver um limite de tolerância aos que cometem tantas maldades e produzem tantas coisas ruins ao longo da vida. Você, certamente, é uma das poucas, senão a única pessoa desse mundo que não enganei. Só lamento que os nossos destinos tenham se cruzado dessa maneira tão imprevisível e dolorosa. Tão tarde demais. Mesmo com o pouco tempo que nos conhecemos, peço o seu perdão por não ser exatamente o que você, em algum momento, imaginou que eu fosse. Muito obrigado por tudo.

Luziane apertou sua mão forte, silenciosamente, como se lhe dissesse que não tinha nada a perdoá-lo, muito pelo contrário. Estava emocionada. Marcílio pediu-lhe que conseguisse papel e caneta para escrever uma procuração transferindo o seu táxi para o nome dela. Ditou-lhe o conteúdo do documento e pediu que ela indicasse a sua mão no papel para que pudesse pôr sua assinatura.

— Tenho algum dinheiro guardado em casa, na última gaveta da cômoda que fica no quarto. A chave está escondida dentro da Bíblia, que minha irmã me deu no dia em que fui preso. Pegue. É todo seu. Fique morando no apartamento, o aluguel é barato e você agora pode pagar. Acredito que com isso você poderá recomeçar a sua vida e ser feliz. Você merece.

Ela levantou-se e beijou-lhe a testa. Ele fez o último pedido:

— Faz quase vinte anos desde a última vez em que estive com a minha irmã, Vânia. Ela é uma pessoa muito boa, a qual desprezei e fiz sofrer muito. Preciso que você ligue e peça para ela vir aqui no hospital. Caso ela recuse, insista. É muito importante para mim. Fale do meu estado, diga que não tenho mais condições de prejudicar ninguém. Eu preciso disso para morrer em paz.

Luziane deixou a enfermaria e conversou com o médico sobre o quadro de saúde de Marcílio. Perguntou quanto tempo ele ainda tinha de vida. O médico informou que o tratamento não estava contribuindo para a redução do tumor e que era uma questão de dias, de algumas semanas, talvez. Tudo o que poderia ser feito foi feito, garantiu o médico. Ela foi até um telefone público na entrada do hospital e ligou para Vânia. Identificou-se como amiga de Marcílio e antes de relatar o pedido, implorou para que ela não desligasse. Vânia ouviu silenciosa, agradeceu educadamente, mas não confirmou se faria a visita. Luziane retornou à enfermaria e postou-se novamente ao lado de Marcílio, que dormia inerte. Pensou que ele havia morrido. Segurou o seu pulso e sentiu-se aliviada. Temia que ele partisse sem falar com a irmã.

Às oito da manhã do dia seguinte, Vânia chegou ao hospital. Luziane não foi para casa na noite anterior como de hábito. Tirou alguns cochilos na recepção e por várias vezes foi até o leito dele verificar a sua pulsação. Vânia estava acompanhada do marido, doutor Guilherme. Aproximou-se do leito, pôs a mão no ombro de Luziane, que levantou-se abruptamente.

— Dona Vânia! Que bom que a senhora veio. Ele só precisava da sua presença para partir em paz.

Marcílio pressentiu a presença da irmã e abriu os olhos. Levantou o braço com esforço e estendeu a mão no espaço, como se buscasse um amor perdido na infância, cujas lembranças irrigaram a sua mente. Foram tempos felizes. Vânia tocou-lhe os dedos suavemente e sentou-se na cadeira de aço oferecida por Luziane. Uma lágrima escorreu no rosto de cada um deles. Guilherme e Luziane os deixaram a sós.

— Você deve estar muito bonita. Pena que não posso vê-la. Aquela Bíblia que você me deu eu guardo até hoje. A verdade é que nem se a lesse por mil vezes conseguiria o perdão de Deus para os meus pecados. Nem o seu perdão. Mas não foi para isso que pedi que você viesse aqui. O que eu fiz vai muito além da loucura. Dizem que as pessoas quando se confrontam com o juízo final ficam boazinhas, como se não tivessem um passado a prestar contas. Não fiquei bonzinho. Não presto, nunca prestei. Tenho consciência do ser desprezível que sou e sempre fui. Mas como dizem também que todo canalha tem lá no fundo da alma uma gota de dignidade, é dela que me valho aqui agora diante de você. Queria apenas que você soubesse do meu arrependimento pelas vidas que tirei e pelo mal que lhe causei. Se o câncer corrói o meu cérebro, o remorso corrói a minha alma. Não me perdoe nunca. Com a prisão, recebi o castigo dos homens. Com a doença, a escuridão da cegueira e a morte que se aproxima, estou recebendo o castigo de Deus. A justiça que espero de você é que não me acalente com o seu perdão. Definitivamente, não o mereço. O que eu desejo do fundo da minha alma é que você e o que sobrou da minha família fiquem, finalmente, em paz. Tudo não passou de um longo e tenebroso pesadelo.

Vânia levantou-se e tocou o seu rosto. Nunca imaginou que um dia sentiria piedade por ele. Os olhos de Marcílio brilharam como se recebessem por trás da retina morta a intensidade de uma luz forte e penetrante. Ele conseguiu ver o rosto da irmã pela última vez. Sorriu. Fechou os olhos e partiu.